ワンダー・ラボラトリ

空気は踊る

結城千代子・田中 幸

西岡千晶 絵

太郎次郎社エディタス

目次

風にはだれでも目がひかれる。あちこちに立てられた旗で、だれしも風の来し方行く末はわかるものの、いったいこの現象はなにを意味するのかという段になると、ほかのさまざまな現象と同じに、おぼつかないままである。

——ヨハン・ヴォルフガング・フォン・ゲーテ

(『気象学』 轡田収＝訳、ゲーテ全集14巻所収、潮出版)

はじめに

わたしたちの生活に潤《うるお》いと豊かさを与《あた》えてくれる、音楽、絵画、舞踏《ぶとう》の鑑賞《かんしょう》や、スポーツ観戦。それらは、その道の専門家にならなくとも、好きだというそれだけで、十分に見て、共感して、楽しむことができます。

そういう、科学、サイエンスがあってもいいのではないかとわたしたちは考えます。

いわゆる理系でなくても、なぜだろうと驚《おどろ》き、不思議だなと首をかしげる。好奇心《こうきしん》をもってさえいれば、さまざまな自然現象が万華鏡《まんげきょう》となってきらめき、展開していくようすを、わくわく楽しむことができます。

スポーツ観戦に夢中になったり、音楽にくつろいだりするときのように、科学の不思議、美しさ、おもしろさに浸《ひた》ってもらいたくて、この「ワンダー・ラボラトリ」シリーズを刊行しました。

このシリーズの『粒《つぶ》でできた世界』では、世界が原子という粒でできていることと、その粒が飛びまわっている空気の働きについてお話しました。

本書では、まずⅠ章で、空気の動き、すなわち風について、あれこれ思いめぐらせてみたいと思います。

自然の風、人が起こす風、その利用方法や原理について、さわやかに、軽やかに、そしてときに驚きつつ、心地よい季節の風の中で、ゆったり読んでもらえたらと思っています。

Ⅱ章のはじまりは、タコです。

えっ、タコですって？　あの海にいる奇妙《きみょう》な生きものの？――はい、そうです。このはじまりで内容が予測できた方は、想像力豊かな方でしょう。

ここでは、タコの吸盤《きゅうばん》からはじまって、話は、真空、スポイト、お椀《わん》のふた、ジャムの瓶詰《びんづ》めと、めまぐるしく展開していきます。

わたしたちの今日の便利な生活が、ここに出てくる先人たちの多大な努力の賜物《たまもの》であることに思いを馳《は》せてもらえたらと思います。

どちらのお話も、みなさんの日々の暮らしのなかで、ふと頭をよぎる瞬間《しゅんかん》があることを願っています。

結城千代子・田中　幸

I

風はどこから——動きまわる空気

〜わたしを押《お》す風の力

窓越《ご》しに見ていた。初夏の田園風景。
梢《こずえ》がしなる。
稲穂《いなほ》が首をかしげ、田一面が波打つ。
空を雲が流れていく。

風が吹《ふ》いているのだなと思う。

雲がなければ、上空の風は見えない。
そこに、木が、草がなければ、
風が吹いているとはわからない。

わたしは扉《とびら》を開き、戸外に踏《ふ》みだす。
自分がそのなかに立ってはじめて、風を感じた。
わたしを押《お》す風の力を感じた。

ここは地球だから、きっとこの「風」があるのだ。
風はあちこちに見つかる。
風になびく髪《かみ》、舞《ま》い散る花。

地下鉄が走りこむと、猛烈《もうれつ》な風が人を押し、服がはためく。
帽子《ぼうし》が風で飛ばされ、吹き流しがはためく。
風で煙《けむり》がなびき、雲も流れていく。
山の斜面《しゃめん》を風が吹きおろす。

吹雪《ふぶき》やからっ風は、冬の代名詞。
夏は、うちわであおいで風を起こし、
扇風機《せんぷうき》がまわれば、涼《すず》しい風が来る。

風のなかに立って感じた、見えなくともある力。
わたしを押すものはなんなのだろう。

以前見た月面の写真では、
ハンマーと羽根がいっしょに地面に落ちていった。
羽根はひらひらすることも、
離《はな》れた場所に吹かれて飛んでいくこともなかった。
月には風がない。

地球にあって、月にないもの。
それは「空気」だ。

地上は空気で満ちている。
その空気は、ときどき、川の流れのように
どこかに向かって動いていく。
それが風だ。

空気はふだんは、あるのかどうかよくわからない。
なにせ見えないのだから。

でも、手を振《ふ》りまわせばたしかに何か感じるし、
ビニール袋《ぶくろ》を持って走りまわれば、
空気を集めることもできる。
押してもつぶれない。
たしかにあることはわかる。
それでも、ふかふか軽く感じる。

たいした力もなさそうなのに、
風になったとたん、こんな力をもつこともある。

台風。

竜巻《たつまき》。

風はときに、ものすごい力をもっている。

≈ずっしり重い巨大《きょだい》風船

こんな力があることは、ちょっと信じられませんが、空気をたくさん集めると、かんたんにその威力《いりょく》を感じることができます。

大きな風船に、自転車の空気入れを使って、空気を押《お》しこんでみましょう。風船は伸びるゴムでできていますから、どんどんふくらみます。入る、入る、二千リットル近く入って、直径一・五メートルほどもある巨大《きょだい》風船になりました。

そうしたら、風船の口を閉じて、友だちに投げてみましょうか。

おっとっと……。受けとるとき、軽い風船を想像して、片手の指先で受けとめようとしたりすると、ちょっと驚《おどろ》きます。両手で受けとめても、ずんと衝撃《しょうげき》を感じることでしょう。

これが、空気のかたまりのもつ重さ、二キログラムあまり。動きを止めるには、ちょっとした力が必要になります。

2kg といえば、大サイズのペットボトル飲料、小玉スイカ、小袋のお米など……

≡神話の風神❶≡ ギリシャ神話では、アネモイ(古典ギリシャ語で風の意)という東西南北を司る四神。北風ボレアース、南風ノトス、西風ゼピュロス、東風エウロス。

≈ 空気の重さを量るには

ついでに、空気の重さの量り方を考えてみましょうか。

空気を入れるまえの風船の重さを量っておいてから、ふくらませた風船を秤《はかり》に乗せても、空気の重さは量れません。

これは意外に思えることかもしれません。ふつう、入れものの重さを量っておいて、それからものを入れて量れば、その差がものの重さのはずなのに。

この理由を考えるには、まず天秤《てんびん》を用意します。

そして風船と違《ちが》って伸び縮みしない、ふつうのビニール袋《ぶくろ》に空気を入れて口を縛《しば》ってみましょう。ここには空気入りのビニール袋があることになります。

それを天秤の片側の皿に乗せ、反対側の皿に空のビニール袋を乗せても、やはり天秤はつりあいます。

空気の重さは、どこへいってしまったのでしょう。

天秤を見て考えてみてください。

両側の皿には、何が乗っているでしょう。もともと天秤は、空気の中にあります。からのビニール袋の乗っている皿の上にだって空気はあります。

かたやビニール袋の内側、かたやビニール袋の上ですが、どちらにも空気とビニール袋が乗っているだけなのです。同じものだから、つりあってしまうのも道理でしょう。

空気は、ビニール袋に閉じこめても、ふつうに入れただけでは、ビニールに囲まれて周囲の空気から隔《へだ》てられただけです。

さきほどの巨大風船でも、空気入れで無理やり空気を詰《つ》めこみはしましたが、そのぶん風船はふくらみ、場所をとって、そこを占《し》めていたはずの空気が周囲に追いだされていま す。

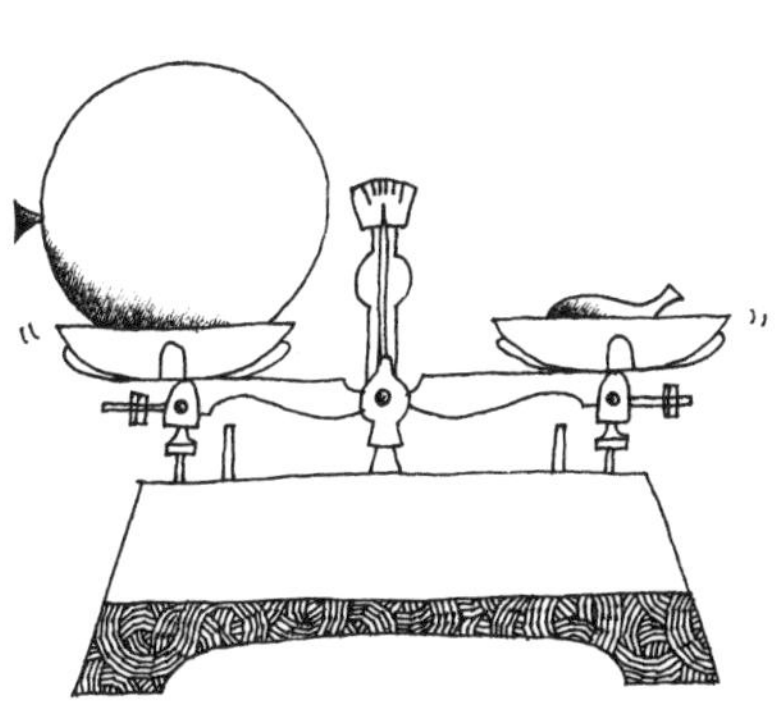

風船に詰めこんでも、空気の重さは量れない

≡神話の風神❷≡ ローマ神話では、ウェンティ(ラテン語で風)という神様たち。北風コールス、南風アウステル、西風ファウォーニウス、東風ウールトゥルヌス。

はじめにからの風船を量ったときも、周囲の空気が乗っています。ふくらんだ風船はその周囲の空気を詰めこんでふくらんだものです。ビニール袋と違って、伸び縮みの具合によっては、多少周囲より多めの空気が入るかもしれません。が、ビニール袋同様、空気のあるなしの違いで、空気の重さをたやすく量ることはできません。

それでは、空気の重さは秤で確かめようがないのでしょうか。

そうでもありません。ある入れものの中の空気の量だけが変わり、入れものの形が変わらなければ、ふつうの状態の周囲よりも空気が余分に詰めこまれたことになり、そのぶんの空気の重さがわかるはずですから。

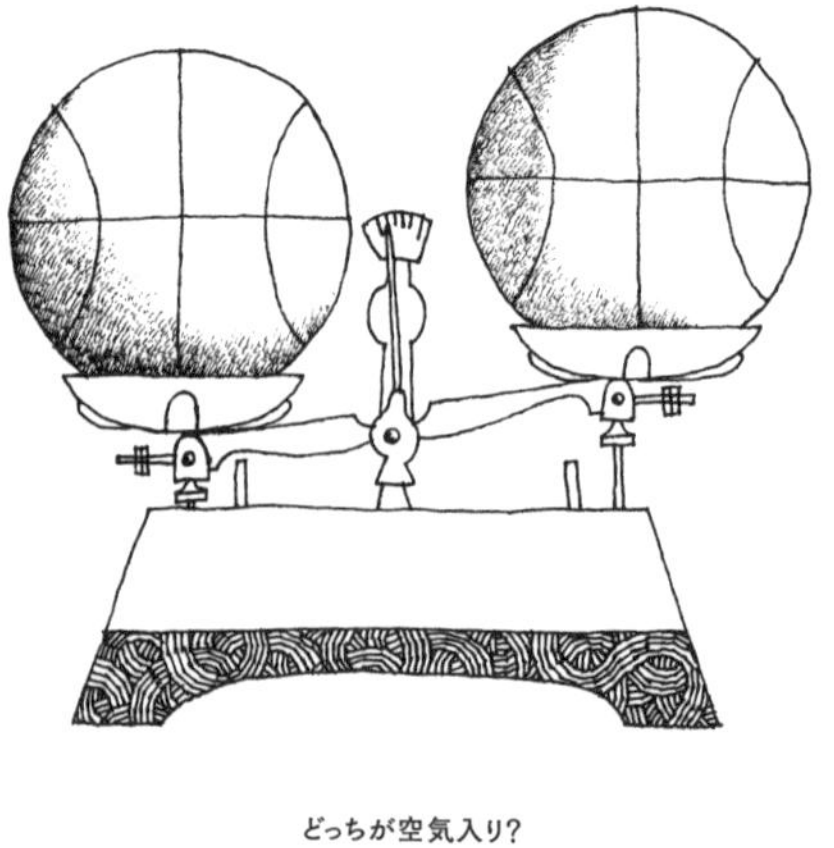

どっちが空気入り?

バスケットボールのように、中に空気を入れたり、空気が抜けたりしても、かんたんに形が変わらないボールを用意すればいいわけです。それで、巨大風船でやったのと同じことをすれば、量ることができます。

同様の考え方で、もう少しくわしく空気の重さを確かめるために、むかしは、中空の栓《せん》つきのガラス球を天秤につるして、つりあわせてから、空気を抜《ぬ》いて、もう一度つりあいを見る実験方法がありました。

このとき、真空に近くなるまで中の空気を抜くと、ガラスが丈夫《じょうぶ》にできていない場合、球が割れてしまって困ったようです。

☰神話の風神❸☰ 古代中国では、風は天に棲《す》む鳳《おおとり》のはばたきで起こると考えられていた。それで、「風」の字のはじまりの甲骨《こうこつ》文字は、冠《かんむり》をつけた鳳凰《ほうおう》の姿をしている。

湿《しめ》った空気と乾《かわ》いた空気の重さくらべ

水蒸気は、水が気体になった状態です。同じ体積・同じ温度の空気で、水蒸気を多くふくんでいる湿《しめ》った空気と、乾《かわ》いた空気では、どちらが重いでしょうか。——意外なことに、湿った空気のほうが少し軽くなります。

同じ条件の空気の中には、同じ個数の気体の分子が入っています。水の気体の分子が入れば、そのぶん、空気の成分である窒素《ちっそ》や酸素などの気体の分子が減ります。

水の分子は、酸素原子一つと、原子のなかでいちばん軽い水素原子二つの、三個でできています。空気の成分である窒素は、窒素原子が二つ、酸素は酸素原子が二つ、それぞれくっついた分子です。つまり、水の分子は、窒素分子や酸素分子より軽いのです。

それで、水の分子が多い湿った空気は乾いた空気より軽くなり、上空にのぼります。

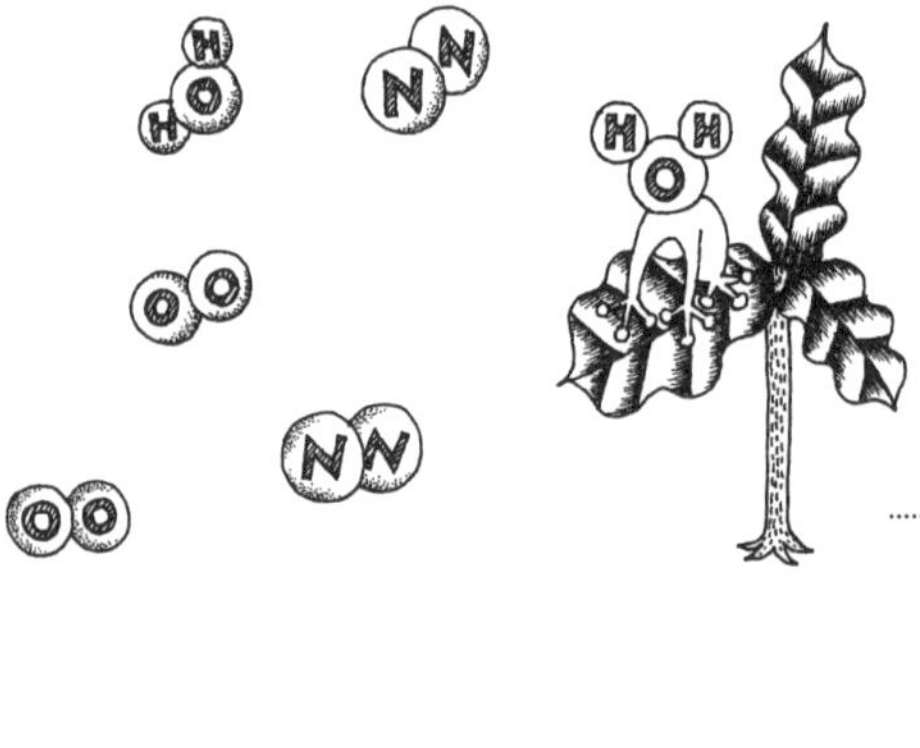

≈風を起こすふいご、風で鳴るオルガン

さて、今度は、この巨大《きょだい》風船の口を開くと、どうなるでしょうか。

これこそ風！　空気の力を感じられるひととき。勢いよく吹《ふ》きだす空気は、シューシューと音がします。手を離《はな》すと、風船は空気を噴射《ふんしゃ》、部屋中を飛びまわるロケットになります。

風船のゴムがもとの大きさにもどるまで、空気は押《お》しだされていくのです。

これを見ていると、むかしの風神の絵を思い出します。風の神様はかならず袋《ふくろ》を持っていて、この袋から風を吹きだすといわれていました。

つまり風は、ためた空気を押しだすことができれば、つくれるのです。

むかしの人も、ずいぶん早くからこのことに気がついていました。

それはそうでしょう。人は口で息を吹きかけて、ものを冷ましたり、火を燃えたたせたり、火を消したりしてきたのですから。

自分の胸の中にためた空気を押しだす。袋にためた空気を押しだす。似ていますから、想像しやすかったにちがいありません。そして、風が必要なさまざまな場面で、

≡**神話の風神❹**≡ 日本の風神は「シナツヒコ」。古事記ではイザナギとイザナミから生まれた志那都比古神《しなつひこのかみ》。日本書紀ではイザナミの息から生まれた級長戸辺命《しなとべのみこと》の別名。風は神の息と考えられていて、名にある「シナ」は「息が長い」という意味。

ためた空気で風を起こし、利用していました。

たとえば人は、息を吹きかけると火が強く燃えあがることを学んでいましたが、より効率的に息を吹きかけるために、筒《つつ》を使いました。

中空の草の茎《くき》や、節を抜《ぬ》いた竹を使うことで、望む場所に望む強さの空気を送りだすことができるようになったのです。山火事などの経験から、強く風を吹きつければ、そっと吹くより、高温を得られることにも気がついたと思われます。

また、吹きつける風が火を制御《せいぎょ》できぬほどに燃えあがらせることも、山火事などの手痛い体験から学んでいたにちがいありません。原初の人類の火の利用は、火を起こすことよりも、制御するくふうによってこそ、発展したといってもいいでしょう。

大きな空気袋に空気をため、ほどよい場所に、必要な強さで、都合よく吹きだす。人はそんなことができる道具をくふうし、改良していきました。鍛冶屋《かじや》のふいご（鞴）や、巨大なふいごである金属精錬《せいれん》の足踏《ぶ》みのたたら（蹈鞴）が、その代表です。

ふいごは革袋や蛇腹《じゃばら》の箱の体積を変えるように押し引きすることで、空気を吸ってため、「吐《は》き出し口」から吹きだすことができます。

日本でも古くから金属の精錬がおこなわれていて、弥生《やよい》時代にはすでに青銅の精錬

≡あおぐ人≡ 手軽に風を起こせるうちわや扇子《せんす》のたぐいは、世界各地で古くから使われた。古代エジプトの壁画《へきが》や古代中国の記録に残されている。日本では、うちわは弥生《やよい》・古墳《こふん》時代の遺物《いぶつ》として発掘《はっくつ》され、扇子の原型の檜扇《ひおうぎ》は奈良《なら》時代のものが出土している。

所があったことが遺跡《いせき》からわかっています。この精錬所で使われたふいごの送風管の口と思われる土製の「羽口《はぐち》」が、滋賀《しが》県で出土しています。

往復動《おうふくどう》足踏みふいごは、室町時代後半の中国山地において大型化した炉《ろ》が登場したことで、使われるようになりました。

大型化するには、それなりの時代の要求がありました。このときは刀の需要が急速に増えたのです。鉄鋼《てっこう》の需要《じゅよう》に応えるために、生産力を向上させようとした結果でした。

現在でも、ふいごを絶えず利用して火力を調節するようすを、眼前で見学する機会があります。岐阜《ぎふ》県関市では、刀鍛冶の実演を年に数回、公開しています。

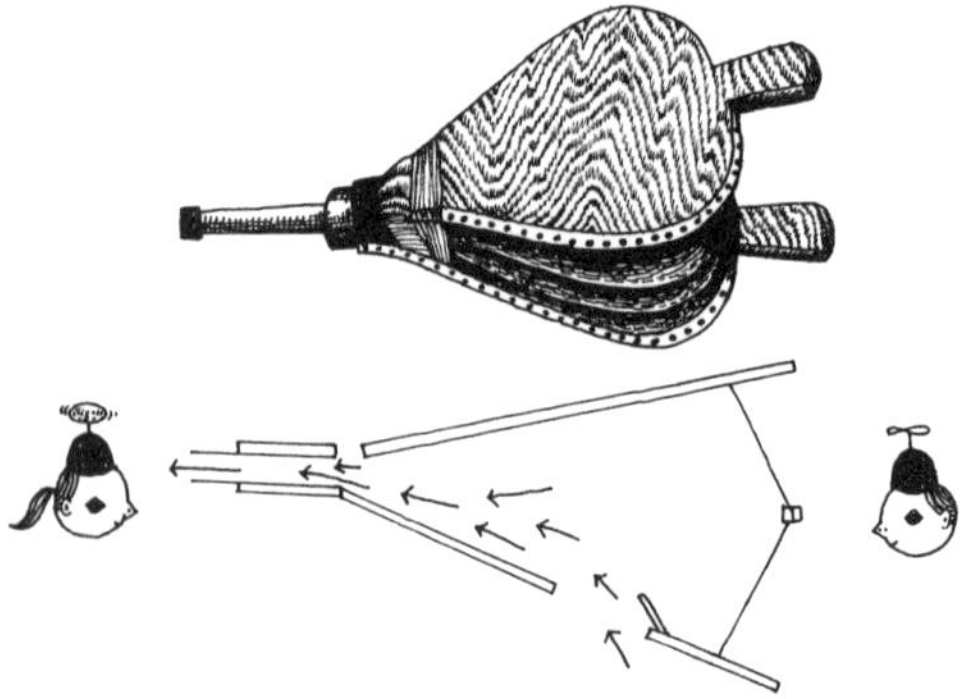

ふいごとその風の通り道

たたらを踏んで、燃えさかる炉に風を送る

≡水うちわ≡ 雁皮紙《がんぴし》でつくられ、漆《うるし》などで防水した透《す》けるようなうちわ。明治期に岐阜《ぎふ》で考案され、舟遊びで用いられた。水をつけてあおげば、気化熱で冷風を得られる。

また、ふいごのような送風の装置は、空気が出入りするときに音がすることから、足踏みオルガンやアコーディオンなどの楽器にも使われました。

吹きこまれる空気が、空気のゆれをつくりだし、音を出します。その音は、オルガンなら筒の長さによって、アコーディオンならリードの長さや厚みによって、決まった高さの音になります。

≈空気をばねのように使う

風船の口から勢いよく空気が吹《ふ》きだすと、風船をロケットのように飛ばすことができます。これを応用して、勢いよく吹きだす空気を一方向に集中させ、ものを押《お》しだすことが

風の出入りで鳴るアコーディオン

できます。

細い紙の筒《つつ》か、太めのストローを使って、空気鉄砲《でっぽう》をつくってみましょう。

ティッシュペーパーを水で湿《しめ》らせて丸めた玉を二つつくり、筒の両端《りょうはし》にすきまができないように詰《つ》めます。そうしたら、筒の内側に入る太さの棒《ぼう》で、手前の玉を一気に押しこみます。棒に押される玉が、筒の中をきつめに動くピストンになるわけです。

勢いよくピストンを押しこむと、先端《せんたん》に詰めた玉が空気に押されて飛びだします。空気の逃《に》げ場がないように、ぴったり入っていれば、筒が短くても、勢いよく飛びます。

筒の中の空気は、一瞬《いっしゅん》、出口がなくて圧縮されます。まるで、急にきゅっと押し縮められたばねのようになるのです。そうなると空

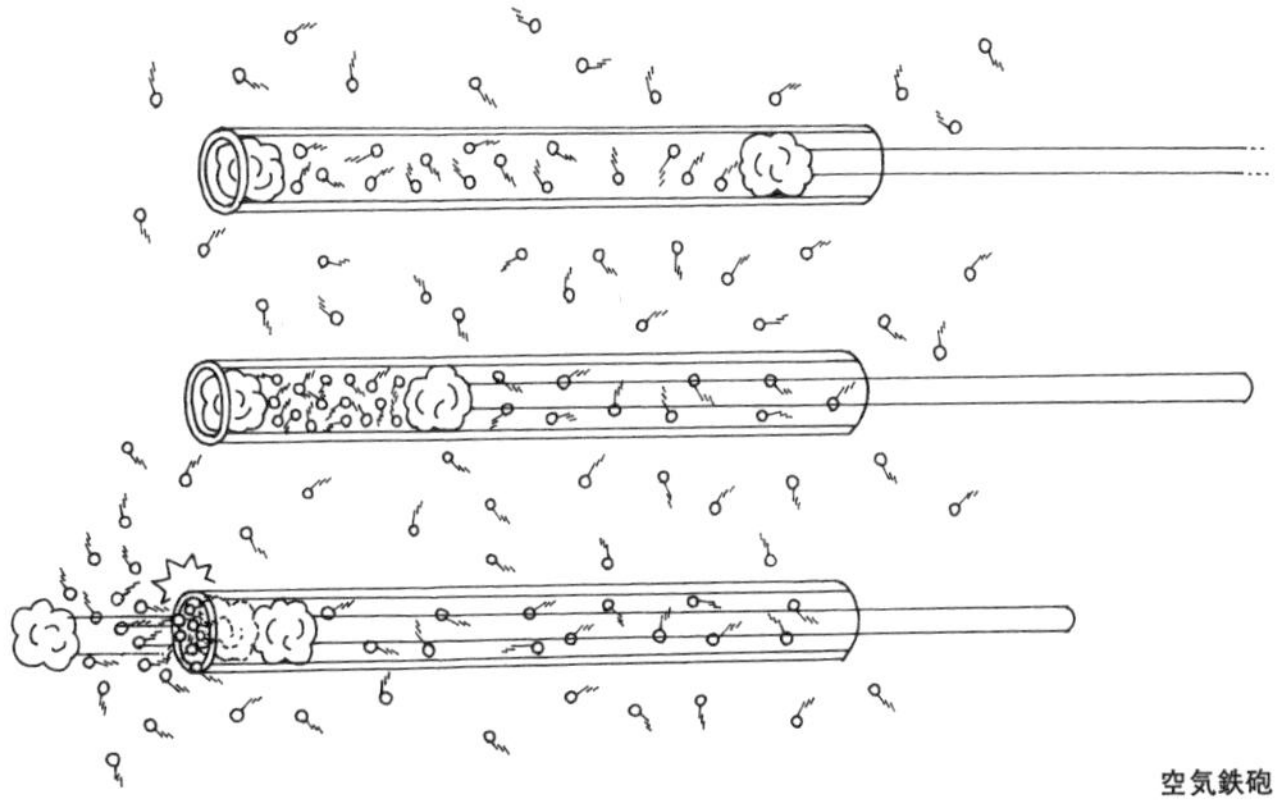

空気鉄砲

≡ふいごも古代から≡ 中国漢代(紀元前)の出土品のレリーフに、ふいごを使う図がある。日本でもっとも古い記録は、「日本書紀」の天《あまの》羽鞴《はぶき》という鹿皮袋《しかがわぶくろ》のふいご。いまも、箱ふいごで炭火を起こし、鉄を熱して刀をつくる刀鍛冶《かじ》がある(たとえば岐阜《ぎふ》県関市)。

気は本来の大きさにもどりたくて、周囲を押します。思いきり手足を伸ばして、体全体で伸びをする人のように。すると、筒の壁《かべ》は固くて動かないものですから、自由に動ける中の玉は、押しだされて、勢いよく飛んでいくことになります。

空気ロケット

【用意するもの】

・トイレットペーパーの芯《しん》［一本］

・乳酸飲料のプラスチックの空き容器［二個］

（トイレットペーパーの芯にぴったりはまるサイズ）

一つの空容器を底の側から芯の先端にはめ、もう一つを他端から少し差しこむ。差しこんだ容器を勢いよく押しこむと、もう一つが、ポンッと音をたてて飛ぶ。

なかよし師弟、ボイルとフック——空気の弾性《だんせい》、ばねの弾性

空気にはばねのように、力を加えると縮み、力を加えるのをやめるともとにもどる性質があります。これを弾性《だんせい》といいます。それで、ふいごなどが役に立つわけです。

ばねといえば、中学で習うフックの法則が有名です。「ばねに加えた力とばねの伸びは比例する」。——時は十七世紀半ばの英国、ピューリタン革命やペストの流行でゆれる世相のもと、ロバート・フックの師のロバート・ボイルが、空気の弾性に関する実験の論文を発表します。フックはとても有能な、ボイルの実験助手でした。

その約二十年後、王立協会の公開講座でフックは「復元力についての講義」をおこないます。講義に先だって、ラテン語のアナグラム（つづりかえ）「ceiiinosssttuu」で弾性に関する理論を発表、講義冒頭《ぼうとう》でその意味は「Ut tensio, sic vis（伸びは力のとおり）」と示したそうです。フック自身、この着想は助手時代と述べていて、ボイルとの空気の弾性の研究から、ばねの弾性の発想を得たのだと思われます。

ニュートンとは大げんかしたフックですが、ボイルとは「二人のロバート」として、八歳違《さいちが》いの師弟関係がボイルの死まで続きました。

≡偏西風《へんせいふう》：Westerlies≡ 中緯度帯《ちゅういどたい》の上空を西から東へ向かって吹《ふ》く西風で、地球を一周している。この風の影響《えいきょう》で、日本では天気が西から東へと変わる傾向《けいこう》がある。

≈吹《ふ》き矢がびゅんと飛んでいくわけ

空気の力で飛ばすものに、吹《ふ》き矢もあります。むかしは、獲物《えもの》を捕《と》らえるのに、この道具が役に立ちました。

うまくつくられた吹き矢は、たとえば教室のうしろから、黒板に的としてつけた風船に命中させて割ることができるほどの精度と威《い》力《りょく》をもっています。

吹き矢には十分な長さがいります。その点は空気鉄砲と違《ちが》います。

玉をぴったり詰《つ》めて空気の出入りをなくし、一瞬《いっしゅん》の圧縮で、空気をばねのように使うのが空気鉄砲《でっぽう》でした。吹き矢の矢は、筒《つつ》にぴったりはまってはいません。ただ、長い筒の中を、息で押《お》されつづけて速くなっていき

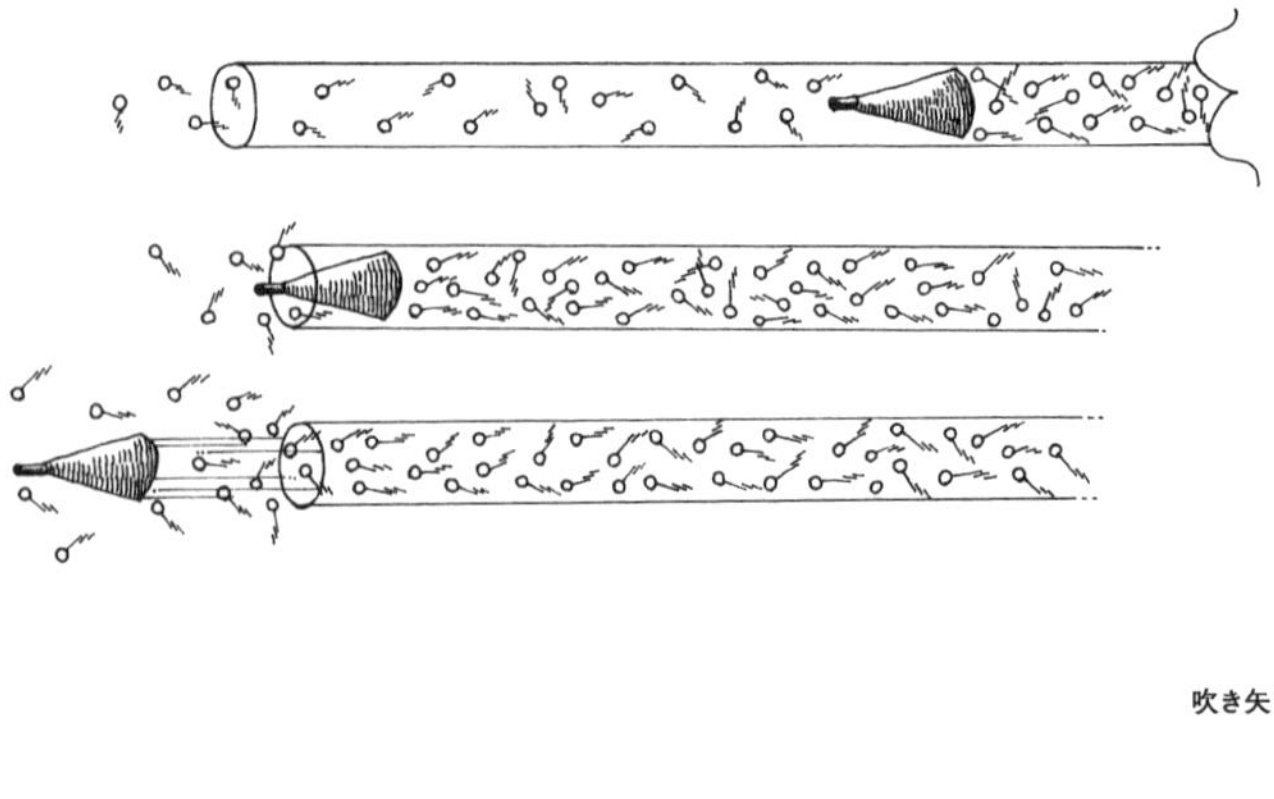

吹き矢

ます。

たとえば、坂道を転がるボールが、はじめゆっくりでもどんどん速くなっていくように、吹き矢の矢は長い筒の中で息に押されつづけて、どんどん速くなります。

試しに、長い筒の手前ではなく先っぽに矢を入れて、吹いてみてください。ぽとっと落ちてしまいます。息で押される時間が短く、一押ししかされないうちに出口なので、ほとんど飛んでいかないのです。

すぐにでもできる実験は、ストローに綿棒《めんぼう》を切ったものを入れて、吹き矢をつくってみることです。いろいろな長さのストローを用意すると、速く飛ぶ吹き矢がどれか、比べられます。人にあてないように注意して遊んでください。

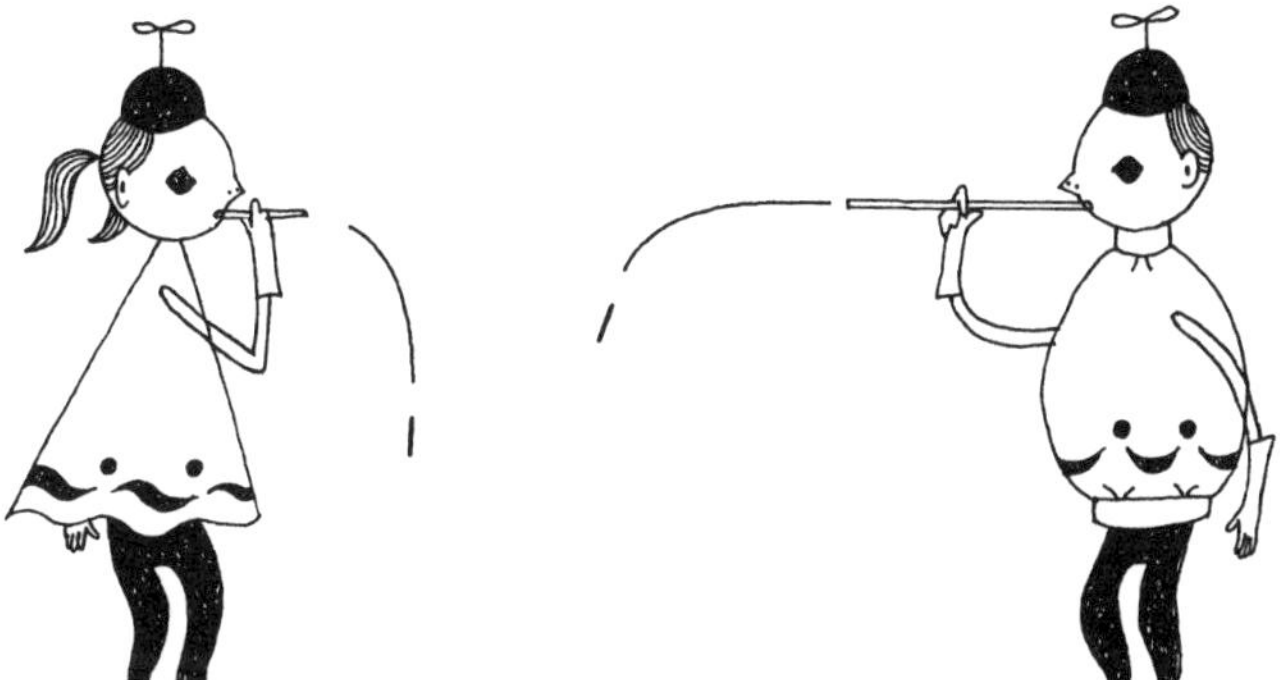

人に向けて吹いてはいけない

≡**貿易風《ぼうえきふう》：Trade wind**≡ 赤道の低緯度帯《ていいどたい》両側で、赤道に向けて吹《ふ》く風。「決まった通り道(trade)を吹く風」の意味。時代とともにtradeが「貿易」の意味ももつようになった。偏西《へんせい》風《ふう》・貿易風・季節風は中学で習う。

筒を口にくわえて空気を吹きこむものに、吹きガラスの技法もあります。これは矢を飛ばすかわりに、熱で溶《と》けたガラスを空気の力で押して形をつくるのです。

ガラスは風船のようにふくらみ、息の入れ方ひとつで、コップや花瓶《かびん》など、異なる形のものがつくれます。

ところで、こんなふうに、ためてから吹きだす空気で風をつくるほかにも、風を起こすことはできます。

暑いときに風を起こす道具に、うちわや扇《せん》子《す》があります。風を面で押して動かすと、空気が面ごと前に押されて動きます。

いったん動きだしたものは、止める力が働かないかぎり、動きつづけます。もし、摩擦《まさつ》

炉で熱したガラスを吹いてふくらませる

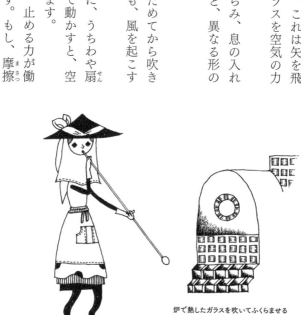

力《りょく》が働かなければ、床《ゆか》の上を転がしたボールも、滑《すべ》りだしたスケーターも、壁にぶつかって止まるまで、ずーっといつまでも止まりません。「慣性の法則」といいます。

空気も、押されて動きだすと、押したうちわは止まっても、動きだした空気を止めるものがないかぎり、動きつづけます。それが、風です。

わたしたちにぶつかった空気は、渦《うず》巻いて流れが乱れ、やがて止まります。風は、わたしたちにさえぎられたことになります。扇風機《せんぷうき》とのあいだにほかの人が入ってしまうと涼《すず》しくないのは、そのためです。空気の動きを妨《さまた》げてしまうと、風はやんでしまいます。

≈自然の風が起きるとき

さて、風はこんなふうにつくれるけれど、自然界の風を、風袋《かざぶくろ》を持った風神が司っているとは、考えられません。地球規模で空気を操れるような、巨大《きょだい》な袋を持つ風神が、世界中の庭の隅《すみ》に小さなつむじ風を起こし、山小屋でも、港のレストランでも、窓を開ければ部屋の中に涼《すず》しい風を吹《ふ》きこんでくれるなんて——。

これは、一人の有能な神様の技と考えるよりも、ほかの共通した原因を追いかけて

≡季節風：夏と冬≡ 夏、太平洋からユーラシア大陸へ向かって吹《ふ》く南東の風。この風で湿《しめ》った空気が太平洋からやってきて山にぶつかり、太平洋側で雨が多くなる。冬、ユーラシア大陸から太平洋へ向かって吹く北西の風。この風で湿った空気が日本海からやってきて山にぶつかり、日本海側に雪が多くなる。

みたほうがよさそうです。いつしか人類もそう考えるようになっていったのでしょう。ふつうに連綿とある空気の、何が変わると、風が起こるのでしょう。

日常のなかで、急に風を感じる場面を思い出してみましょう。たとえば、一天にわかにかきくもり、夕立が来そうになるときはどうでしょう。また、その夕立が通りすぎて、日差しがもどってきたときはどうでしょうか。

このようなときに、わたしたちは空のようすの変化にあわせて、周囲の温度の変化を感じます。と同時に、風を感じたことはありませんか。まばゆい日差しで暑かったのが、かげって急にひんやりしたり、水が蒸発していくときに周囲の熱を奪《うば》って、そこだけ少し涼しくなったり、温度変化の原因はいろいろでしょう。ただ、このような温度変化と風とのあいだには、密接な関係がありそうです。

≈ 温度の差が空気を動かす

一つ実験をしてみましょう。

ガラスのフラスコを空のまま冷蔵庫に入れ、冷やしてからとりだします。そして、十円玉をその口がぴったりふさがるように乗せ、すぐに熱いお湯につけてみましょう。

十円玉が自然にずれて、すきまができるのが観察できます。十円玉の端《はし》を指先でちょっとだけ押《お》さえていると、うまい具合にいけば、反対側がカタカタと持ちあがります。

これはなぜでしょうか。

この章の最初に書いたように、巨大《きょだい》風船に空気を入れていくと、風船は空気を入れれば入れるだけ、だんだんふくれていきます。それは、空気には決まった体積があるということを示しています。

空気は、窒素《ちっそ》や酸素といったさまざまな粒《つぶ》、つまり気体分子の集合体です。そして、空気の体積とは、空気をつくる気体分子が動きまわる範囲《はんい》です。

☰春に吹《ふ》く風の名☰「春一番」は春先のとても強い南風。「谷風《たにかぜ》」は春先の東風や谷からのぼる風で、万生をうながす。「油風《あぶらかぜ》」は晩春の晴れた日に吹く、のっぺり静かな南風。開花を知らせる「花信風《かしんふう》」、春の嵐《あらし》をさす「春疾風《はるはやて》」。木の芽時に吹く「木の芽流し」など。

温度が上がると変わるもの、それは、気体分子の動きの活発さです。熱くなると、どの気体分子も元気になります。活発に飛びまわり、その結果として、行動範囲が広がり、かさが増えます。つまり、温度の高い空気は広い場所を占《し》めます。

しかし、フラスコは形が変わらないので、場所を広げることができません。そこで、勢いのついた気体分子は、強く、何度も、フラスコの壁《かべ》に衝突《しょうとつ》します。これが、圧力の高い状態、高圧です。

このとき、どこかに弱点があったら、そこを突《つ》きやぶって、中の空気は外に駆《か》けだしていくことでしょう。それが、フラスコに乗せた十円玉です。動きやすい十円玉がずれて口にすきまができ、中の暴れん坊《ぼう》の空気は外に飛びだしていくのです。

もう一つ、試してみましょう。

お湯につけたフラスコの口に、手のひらでぴったりふたをします。

そのフラスコを氷水につけると、手のひらが吸いつく感じがします。

手のひらがなければ、きっと外の空気が中に流れこんで、そこに、小さな風が生まれたことでしょう。

フラスコの中の気体分子は、冷やされて、勢いを失いました。広い場所を飛びまわらなくなるぶん、本来占めているはずのかさが減ります。容器の形は変わらないので、壁にぶつかる威力《いりょく》は落ち、動きが鈍《にぶ》いので、仲間にぶつかることも少なくなります。これが圧力の低い状態、低圧です。

そして、もしもすきまが開いたら、まわりの元気のよい空気の分子たちが、進入しようとして押し寄せてくるのです。

どうやら、だんだん想像がついてきました。

温まったり、冷えたりすることは、地球上のあちこちで起きています。これが、空気の動きをつくりだす、風神の正体です。

ほかに、風が生まれるようすを確かめる方

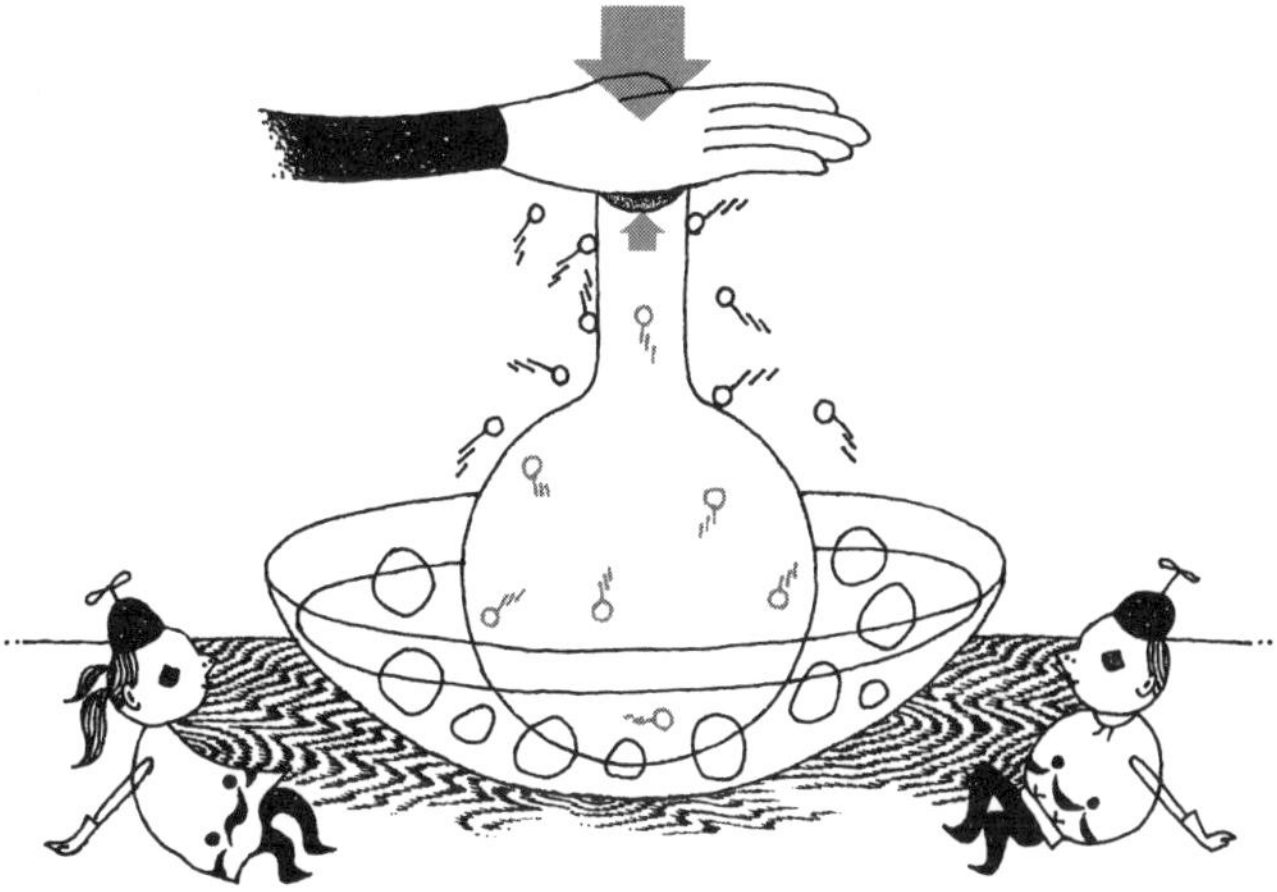

≡夏に吹《ふ》く風の名≡「薫風《くんぷう》」「緑風《りょくふう》」は、初夏のさわやかな東南の風。真夏の「熱風」と夕立後などの「涼風《りょうふう》」。東北太平洋岸に吹く冷たい北風が「山背《やませ》」。梅雨《つゆ》入り頃《ごろ》のどよっとした「黒南風《くろはえ》」、梅雨明けのさわやかな「白南風」、南からの「黄雀風《こうじゃくふう》」。

法はないでしょうか。

温度の違う場所を思い浮《う》かべてください。暖房《だんぼう》のきいた部屋と寒い戸外、反対に、冷房の部屋と暑い戸外もそうです。

二つのあいだの扉《とびら》を開けると、さっと空気が動いて、冬なら、温かい部屋からは、温かい空気が逃げていき、足下に冷たい風が吹きこみます。夏の冷房の部屋には、むあっと温かい空気が入りこんで顔にあたり、冷気が逃げだします。

これも風です。たしかに風が起きます。

これが戸外だったら、どうでしょうか。

日差しに照らされた道路は熱くなり、その上にある空気も熱くなります。

そこに打ち水をしたら、あたりがひんやりして……。

さあ、ここに、熱い空気と、冷たい空気ができました。ここにこそ、きっと風が起きます。

暖房のきいた部屋の扉を開けると……

≡秋に吹《ふ》く風の名≡「秋風」は秋に吹く風だが、「あき」の音に掛《か》けて、飽《あ》きて男女の仲が冷めることもいう。「金風《きんぷう》」「商風《しょうふう》」は秋の西風。秋といえば「秋台風」、台風の異名は「野分《のわけ》」「大風《おおかぜ》」「颶風《ぐふう》」。

気球の話❶

世界初の熱気球

空気は温めるとふくらみ、同じ体積では軽くなります。これを利用したのが気球です。人を乗せてはじめて空にのぼったのは、フランスのモンゴルフィエ兄弟が一七八三年につくった気球でした。空気を熱して上昇《じょうしょう》する原理は現代の熱気球と変わりませんが、兄弟の家業が紙屋だったからか、素材には紙が使われました。

一七八三年とは、ハーシェルが天王星を発見し、太陽系が土星よりもまだ広がっていることがわかった二年後で、イギリスがアメリカ合衆国の独立を承認した年。兄弟は、動物実験を経て、空にのぼっても神罰《しんばつ》が下らないと証明してから、国王ルイ十六世に有人飛行の許可をもらいました。かれらの気球は、ダルランド侯爵《こうしゃく》ら二人を乗せて三百フィートの高度に上昇、ブローニュの森から五・五マイルを二十五分かけて飛行したと記録されています。五年後に起こるフランス革命で処刑《しょけい》されるルイ十六世には暗君のイメージがありますが、科学への理解ある支援者《しえんしゃ》でした。

このニュースは、オランダ経由で四年後には江戸《えど》に伝わり、『紅毛雑話《こうもうざつわ》・巻ノ一』に絵図とともに掲載《けいさい》されました。

≈海風・陸風、風向きが変わる理由

焚《た》き火はどうでしょう。あきらかに周囲より熱くなっています。ここにも風が起きることでしょう。

同じかさで同じ重さの空気を、温めればかさが増し、冷やせばかさが減りました。だから、熱い空気と冷たい空気を同じかさだけとって、重さくらべをすれば、熱い空気のほうが軽いことになります。

まわりより熱い空気は、まわりの空気よりも軽いので、自然に上へ上へとのぼっていきます。

そのため、焚き火をしてできる風は、上昇《じょうしょう》気流とよばれます。

≡冬に吹《ふ》く風の名≡「北風」は冬の風の代名詞。「玉風《たまかぜ》・東風《たばかぜ》」は、北の日本海側に吹く北西の暴風。霜《しも》を渡《わた》る「霜風《しもかぜ》」、吹雪《ふぶき》は「雪風《ゆきかぜ》」「雪嵐《ゆきあらし》」。中国地方で昴《すばる》が明けに沈《しず》むころ吹く「星の入東風《いりこち》」。筑波《つくば》山から吹く「筑波東北風《ならい》」。雪を吹きあげる「浚《さら》いの風」。

熱い空気が上にのぼっていってしまうと、もとあった場所には周囲から冷たい空気が流れこみます。

こうして、まわりの空気にめぐる流れができることを、対流といいます。床《ゆか》に置いた暖房器具《だんぼうきぐ》で部屋全体が温まるのも、鍋《なべ》の下を熱するだけでスープ全体が熱くなるのも、対流という熱の移動があるからです。

陸と海がある場所では、この対流によって、一日のうちに規則的に風が生まれます。陸は温まりやすく冷えやすい場所、海は温まりにくく冷えにくい場所です。

本当？　と思ったら、同じ重さの砂と水を用意してみましょう。同じように温めてみます。温めるのは、容器に入れて火にかけても、太陽の下に置いておいてもかまいません。温度はどう変わっていくでしょうか。温まり方と冷えるようすを確かめてみると、なるほどそのとおりだとわかります。

これは、比熱の違《ちが》いです。比熱とは、水一グラムの温度を一度上げるのに必要な熱量を一として表した量で、陸は、海のおよそ五分の一ていどです。

昼は、陸のほうが早く温まるために、陸の上の空気は海の上の空気よりも温かくなります。そのため、陸の空気が上にのぼり、海から冷たい空気が流れこんできます。これが海風で、上空では逆の流れが生まれています。

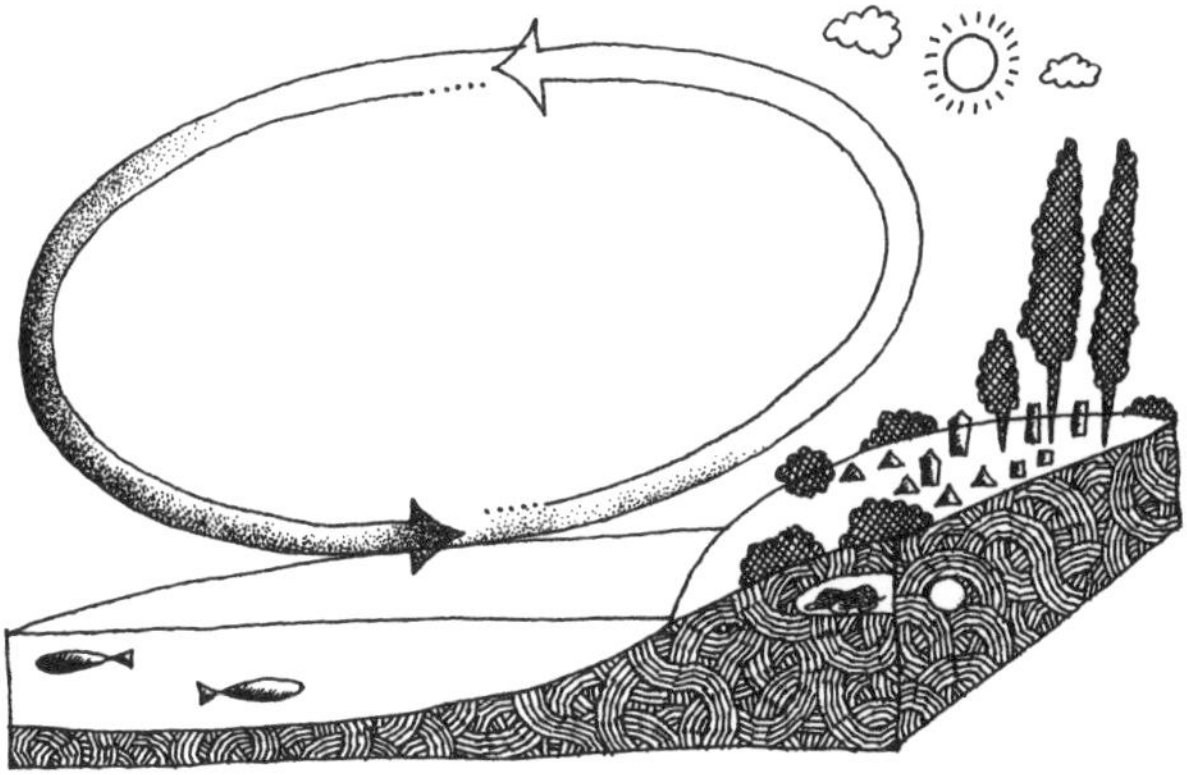

昼は、陸が早く温まり、海風が吹く

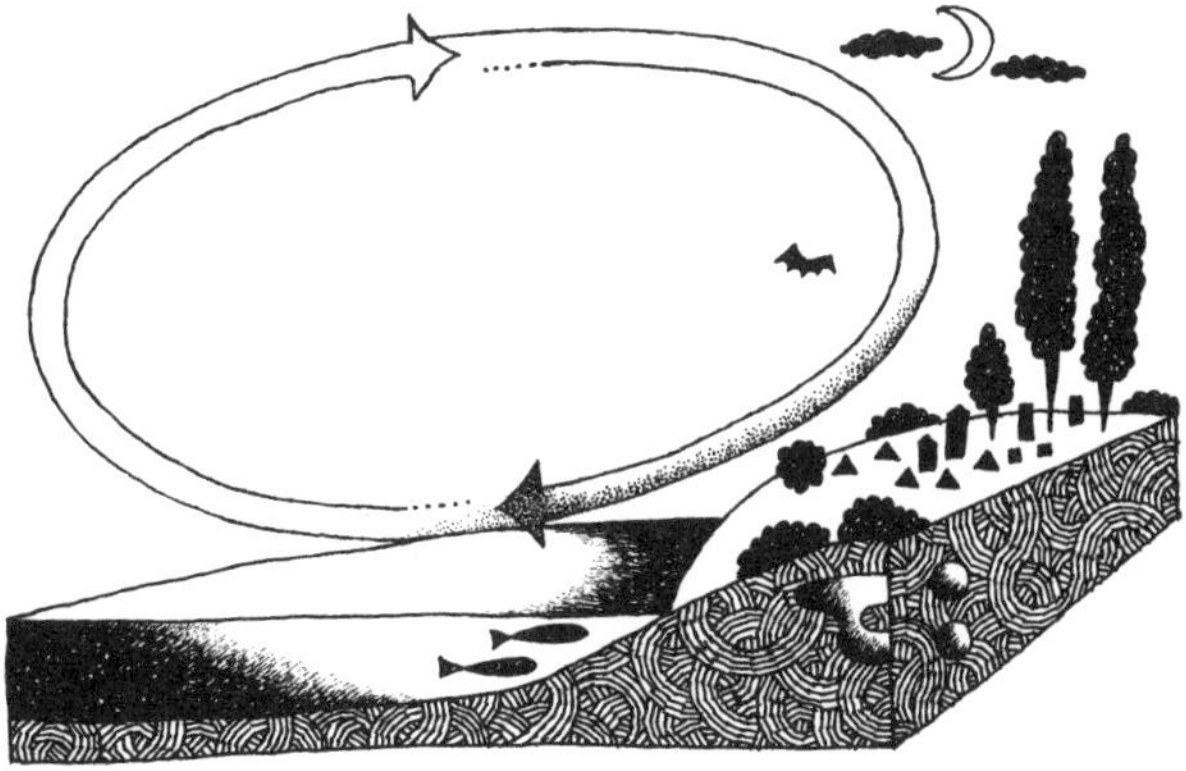

夜は、陸が早く冷え、陸風が吹く

≡風が止まるとき≡ 昼の海風から夜の陸風に変わる、風のない時間を夕凪《ゆうなぎ》、その逆に陸風から海風に変わるときが朝凪。いずれも俳句では夏の季語。「夕凪に畳《たたみ》はひ行く蚊《か》やり哉《かな》」正岡子規《まさおかしき》。

夜になると、陸は海より早く冷えていきます。そして、陸上の空気も海上の空気より冷たくなります。すると、風は逆転します。これを陸風とよびます。凪《なぎ》は、海と陸の温度差があまりなくなり、風の向きが入れかわる、朝と夕方の時間帯のこと。風が止まってしまいます。

≈あらゆるところで風は生まれる

地球にはほかにも、もっと極端《きょくたん》に温度が違《ちが》う場所があります。北極や南極が寒く、赤道直下は暑いので、地球全体で見ても大気の温度には差があります。そのため、地球規模でも大きな空気の流れが起こります。これを気流とよびます。気流は地球が自転しているせいで、複雑な流れになります。このような動きが地球の上空の風をつくり、天気を変化させていく原因になっています。

また、もう少し小さい範囲《はんい》でも、上空で温かい空気と冷たい空気がぶつかると、急に風が吹《ふ》きだして雷雲《かみなりぐも》ができ、にわか雨が降りやすくなります。

ほかにも、わたしたちのまわりでは、小さな温度差でたくさんの風が起きています。

風は、世界中で生まれているのです。

夕暮れのひんやりした気持ちのいい秋風、落ち葉を舞《ま》いあげる寒い北風、真夏のむっとする湿《しめ》った熱風、そよ風、台風、竜巻《たつまき》。わたしたちのまわりを吹きぬけていく風にも、いろいろ違いがあります。しかし、どれも風と名づけられた空気の流れです。

口でフーッとしたり、うちわであおいだり、扇風機《せんぷうき》をまわしたり、電車が通りぬけたりすると、空気が動きます。

何かを動かしてそこにある空気を追いだすと、すかさずほかから空気が入りこみ、流れができて風になります。

そして、人や機械が空気を動かすかわりに、地球の大気を動かしているのは、空気の温度の違い。

その気体分子の元気さの違い。元気さの違いで起こる、占《し》める場所の広さの違い。壁《かべ》にぶつかるときの力強さの違い。違いをならすように、空気は動きはじめます。

そして、風ができるのです。

≡嵐《あらし》の名をもつ風≡ 日本海の低気圧のせいで吹《ふ》く強い南風「春嵐《はるあらし》」、新緑の頃《ころ》の「青嵐《あおあらし》」、芋《いも》の葉を翻《ひるがえ》すような秋の「芋嵐《いもあらし》」、秋の初めの「初嵐《はつあらし》」。桜を散らす「花嵐《はなあらし》」、一夜で花を散らす「夜《よ》半《わ》の嵐」。朝吹く強風「朝嵐《あさあらし》」、夕方の強風は「夕嵐《ゆうあらし》」。風ではないが山中のもやを「煙嵐《えんらん》」。

気球の話❷ 日本の熱気球の幕開け

戦後日本の気球時代は、一九七〇年前後に幕を開けます。のちに写真家となる星野道夫さんら慶應義塾《けいおうぎじゅく》大学の探検部、京都のイカロス昇天《しょうてん》グループと北海道大学のチームなどが、手探りで気球づくりに取り組んでいました。

当時、上智《じょうち》大学理工学部の学生だった市吉三郎《いちよしさぶろう》さんは、コンニャク糊《のり》で和紙を張りあわせ、大きな紙風船をつくっていました。太平洋戦争時、約九千個の風船爆弾《ばくだん》が放たれ、数百個が北米に届きました。その到達《とうたつ》は、一万メートル前後の高空に強い西風が吹いていることを予想させましたが、それが戦後確認されたジェット気流でした。市吉さんは、その気流に乗って太平洋を越《こ》える日を夢見ていたのです。

市吉さんは、気球の飛行免許《めんきょ》を七二年に西ドイツで取得、海峡《かいきょう》を渡《わた》り山岳《さんがく》を越え、飛行経験は国際的にも有数の千三百時間におよびます。九五年にはオーストラリアで四百八十一キロを飛び、滞空《たいくう》時間四十一時間二十九分の世界記録を打ち立てました。日本気球連盟の創設にかかわり、いまも国際気球委員会の日本代表です。

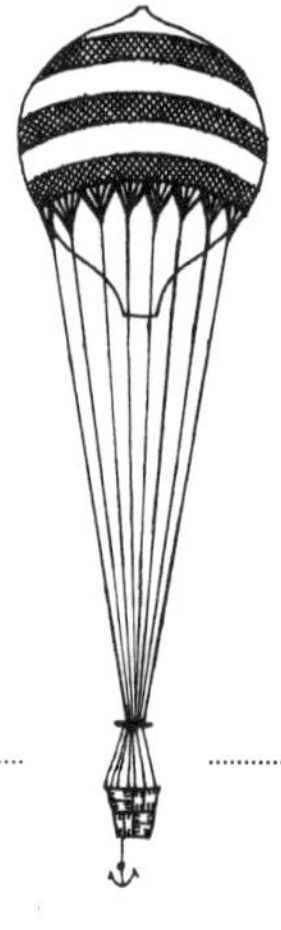

II

タコの吸盤《きゅうばん》の中で——真空のつくり方

⊙ くっつくタコの恐怖《きょうふ》

子どもの頃《ころ》、タコ釣《つ》りを見にいったことがあります。都会っ子にとっては、未知の体験です。強い特製の竿《さお》を大人が握《にぎ》っています。糸を垂らしたその手応えを見ているかぎり、田舎《いなか》で川魚を釣るのと大差ない要領に見えました。そのとき、目の前で一気に竿が振《ふ》りあげられ、一杯《ぱい》のタコが上がりました。大喜びで手を出してしまったのです。ふつう、フナを釣りあげれば、針からはずそうとフナをつかむではないですか。

タコは足を伸ばし、からみついてきました。張りつく、張りつく。とってもとっても、別の足が吸いついてきます。あたりまえです。こちらは二本の手、向こうは少なくとも八本は足があるといわれているのです。かないません。もっとも、パニック状態なので、本数などわからなかったのですが。

釣りあげた獲物《えもの》に襲《おそ》われる恐怖《きょうふ》。タコの報復は、大人が引きはがしてくれるまでのわずかな時間で、愚《おろ》かな子どもを大泣きさせるに十分の代物でした。

タコが吸いつくのは、純粋《じゅんすい》に「吸い」つくからだそうです。ぴたっとくっついて、筋肉を使い、一つひとつの吸盤《きゅうばん》の内側の空気を、海中なら水を減らして、吸いつくのです。わたしたちが口で吸いつくのと同じ要領です。

こんな恐ろしい吸盤でも、実際「くっつける」という目的においては、魔法《まほう》の力ともいえます。のりも、ボンドも、セメントも、ハンダも、マジックテープも、水も、磁石もいらず、ただ、ちょっと空気を減らせる仕様になっていれば、それだけでいいのです。

だからこそ、人はむかしから、吸盤の力を利用してきたのでしょう。

⊙便利な吸盤《きゅうばん》現象のあれこれ

自分で腕《うで》に口をあてて吸ってみると、そこだけ赤くなります。これも、吸いつくタコの吸盤《きゅうばん》と同じ現象です。

「吸玉《すいだま》」という治療《ちりょう》器具があります。紀元前のインドや中国で記された医学の本には、吸玉を意味することばが出てきます。十九世紀までは、ヨーロッパで、そうした器具を使った治療がさかんにおこなわれていました。

中空の半球や牛の角を背中などにあてて空気を吸いだし、そのぶん皮膚《ひふ》を吸いつけて、体内の悪い血を表面に吸いだす治療法です。

むかしは、吸いよせた血を、小さな傷をつけてさらに外へと吸いだしたそうで、痛い治療だったようです。悪い血を出すことで不要なものを排出《はいしゅつ》し、体の調子をよくする治療方法の一つでした。

現代でも、吸玉に似た器具が、東洋系の治療やエステなどで使われています。実際につけられているあいだは、皮膚が引かれてかなり痛く感じます。はっきりあとがついてしまうので、水着の季節には向きません。

ほかに吸盤現象につうじるものに、スポイトという器具があります。中の空気を減らし

吸玉

≡タコとイカ≡ タコの吸盤《きゅうばん》はやわらかく、文字どおり「吸いつく」。イカはふちのギザギザの固い部分で「ひっかける」構造。だからタコを食べても口に残らないが、イカは歯のあいだに挟《はさ》まるものがある(p.80にくわしい)。

て、液を吸いあげる道具です。

細い管の途中《とちゅう》に若干のふくらみがあって、吸いあげた液を少しためられるようになっています。むかしは口で吸いあげるタイプが多かったようです。てっとり早いですが、薬品などが口に入ってしまうこともあり、危険でもありました。

いまは、ゴムやビニール、シリコンなどで、はじめから空気を入れておくふくらみをつくっておいて、そこを押《お》しつぶして空気を追いだし、手を離《はな》してもとどおりにふくらむときに、液を吸いあげるようにできています。

スポイトは少量のものを吸いあげるのに便利なので、飲み薬や香水《こうすい》の調合で活躍《かつやく》してきました。

同じ原理の器具ですが、測定用のものはピペットといいます。

日本で発案されたピペットに、「こまごめピペット」があります。

ゴムの風船型の頭をつけたガラス管で、管の三分の一の部分にふくらみがあるスポイト式。精度は高くないのですが、使い勝手のよいピペットです。

明治時代にコレラの伝染病対策でできた、東京都立駒込《こまごめ》病院でつくられたので、この名前がついています。

駒込病院では、伝染病患者《かんじゃ》を収容して治療していました。伝染病の対応は時間との勝負です。病原菌《びょうげんきん》をふくんだ液を安全かつ迅速《じんそく》に採取したり、希釈《きしゃく》したりするために、ピペットを多量に必要としました。しかも、口で吸わないタイプにしなければ危険です。伝染病菌にあっというまに感染してしまいますから。

使用済みピペットには細菌やウイルスが付着しているので、使い捨てにしなければなりません。少しでも値段を安くできないか。そこで院長が考案したのが、このピペットだったそうです。

スポイト状の使い捨てで、安全に吸いあげられます。英語名Komagome Pipetteとして、あっというまに世界に普及《ふきゅう》しました。

こまごめピペット

≡吸盤《きゅうばん》は固いものではつくれない≡ 吸盤は、ゴムなどの弾性《だんせい》でもとの形にもどろうとするとき、空気を押《お》しだした内側が外より低圧な状態になる。変形したままになる固いものではダメ。

⊙十七世紀オランダの吸盤《きゅうばん》遊び

下の絵は、十七世紀のオランダのタイルに描《えが》かれていた、子どもの遊びの風景です。無邪気《むじゃき》ですが、現在の感覚では妙《みょう》な遊びでもあります。吸盤《きゅうばん》でお皿をくっつけて引きあげているようすなのです。

くわしい遊び方の資料を見つけることはできませんでしたが、おそらく、どのくらい長くくっつけていられるかとか、どのくらい大きな皿を持ちあげられるか、などを競ったのではないでしょうか。

こんないたずらもあります。コップのふちを口につけて思いきり吸うと、コップを顔に

くっつけることができるのです。ちょっとあとがついてしまいますが。

なぜ、こんなふうにくっつくのでしょうか。

吸盤をお皿につけるとき、コップを口につけるとき、どちらもすることは、中の空気をなくすことです。

⊙くっつく秘密——空気が押《お》している

Ⅰ章の「風はどこから」では、空気には窒《ちっ》素《そ》、酸素などのさまざまな気体が混じっていて、それらの気体分子が飛びかっていると述べました。いまここでは、とりあえず気体の種類を問わず、ひとまとめに空気分子とよぶことにします。

≡吸盤《きゅうばん》がくっつかなくなったら≡ くっつける面と吸盤の両方をきれいに拭《ふ》いて、接着面から外気が入りこまないようにする。吸盤をお湯につけ、やわらかくして弾性《だんせい》を増す。

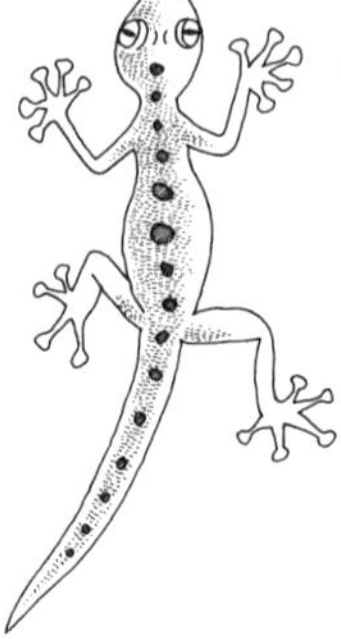

ヤモリが壁《かべ》に張りつけるワケ

ヤモリが壁《かべ》にくっつく仕組みがわかったのは、電子顕微《けんび》鏡《きょう》の発達のおかげです。それまでは、タコのような吸盤《きゅうばん》でくっつくと考えられていました。

けれども、電子顕微鏡でヤモリの指先を観察したところ、足の裏に細かな毛が一平方メートルあたり十万～百万本生えていて、さらに先端《せんたん》が百～千本ほどに分岐《ぶんき》した構造をもつことがあきらかになりました。

先端の分岐した毛の密度は、一平方メートルあたり十億本以上。その一本一本が、くっつく対象物にきわめて近い距離《きょり》まで接近するため、原子や分子間に働くファンデルワールス力によって接着する、ということがわかったのです。この仕組みにヒントを得た接着テープ、「ヤモリテープ」を開発した会社があります。

さて、ある高校の物理の先生が、そんなヤモリがくっつくことのできないものを発見。それは、フッ素樹脂《じゅし》加工の「くっつかない」フライパンです。フライパンに乗せられて滑《すべ》りぐあいを測定されたヤモリは、さぞびっくりしたことでしょうね。

飛びかう空気分子を絵にしてみました。そこに壁《かべ》が一枚あれば、空気分子はぶつかります。ぶつかって壁を押《お》します。

右からも左からも同じようにたくさんの分子がぶつかるから、壁は両面から同じ力で押されます。同じように押されるから、力はつりあっていて、働いていないのと同じです。動かそうと思えば、壁はどちらにでも動かせます。

吸盤《きゅうばん》がくっつくのは、この片側の力がなくなるからといえます。空気を追いだして吸盤の内側からの力をなくし、吸盤の外側からだけ空気が押している状態をつくります。すると、張りついた吸盤はいつでも壁のほうに押されていて、離《はな》れなくなります。

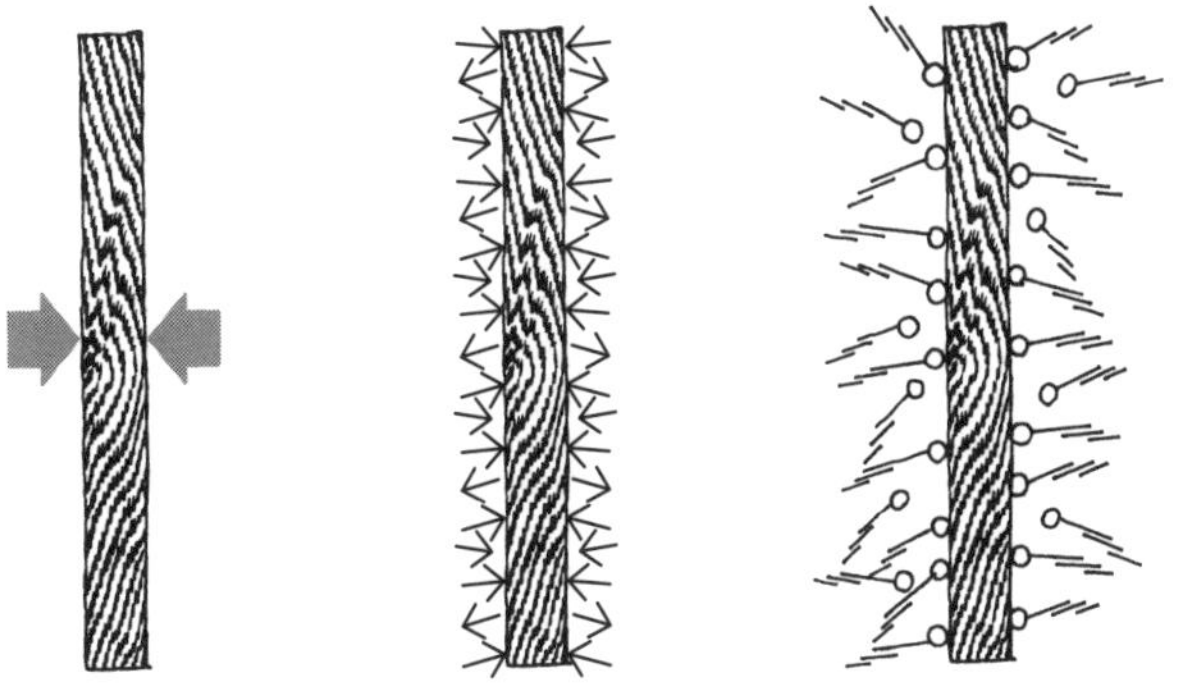

力はつりあっている　　矢印で表すと……　　ぶつかる空気分子

≡強く吸いあげるための吸盤《きゅうばん》≡ 車のボディーのへこみを直す、流しの詰《つ》まりを解消する、毒蛇《どくへび》や毒虫の針や毒を抽出《ちゅうしゅつ》する、などに使われる。この延長線上にスポイトがある。

吸盤がくっつくのは

吸盤を軽く壁にあてたとき、中と外で空気が押しあっている。同じ力での押しあいでは、吸盤を壁に押さえつけておくことができない。

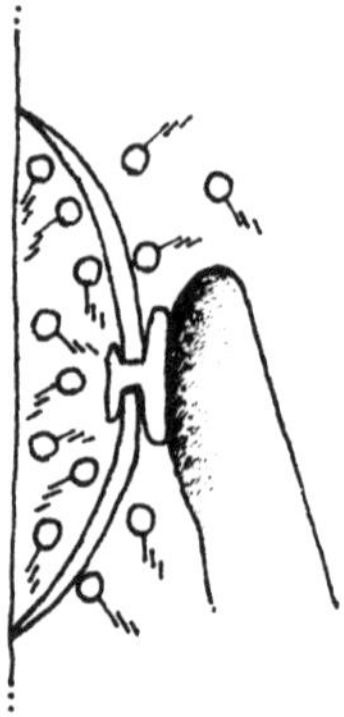

指で押されると、中の空気は外へ追いだされてなくなる。

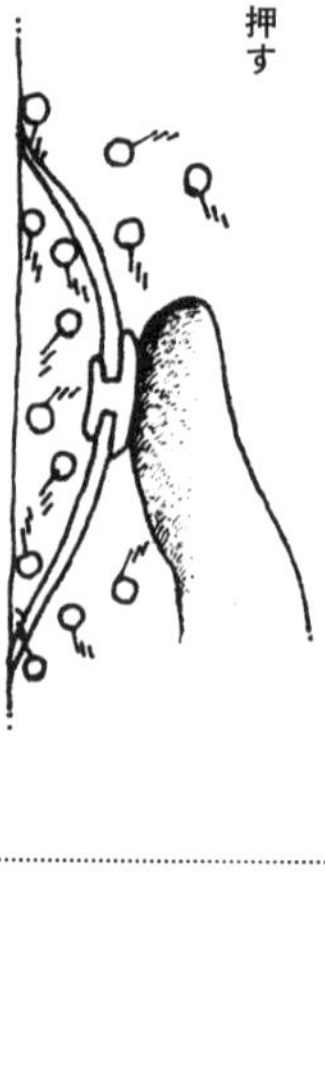

すると、外の空気だけが吸盤を押すことになるので、吸盤は壁から離れなくなる。

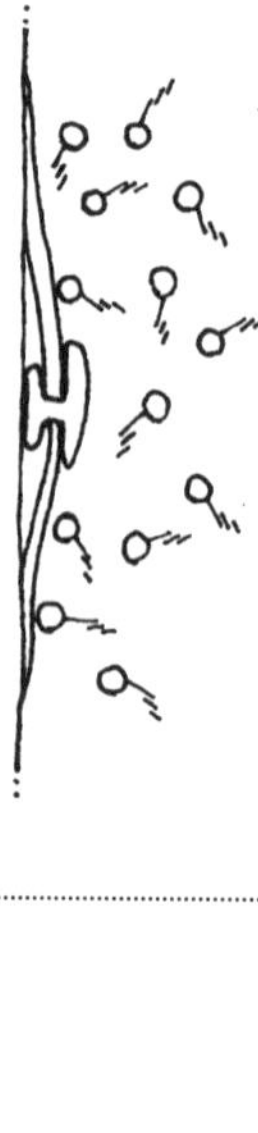

⊙真空をつくる——空気を吸いだす技術

では、空気を追いだすとは、どういうことでしょう。

さきほど見たような子どもの吸盤《きゅうばん》遊びが、なぜ十七世紀のヨーロッパで流行《はや》ったのでしょうか。

それには一つのわけがあります。

吸盤は、当時じょじょに脚光《きゃっこう》を浴びはじめていた話題に直結していました。

それは、真空です。

なぜ、くっつくのか。この答えを、大がかりな実験で示してみせたのが、オットー・フォン・ゲーリケ（一六〇二—一六八六年）でした。

ゲーリケ

≡金属の加工≡ 金属加工技術は人類史とともに発展し、紀元前から金・銀・銅・鉄・錫《すず》・鉛《なまり》・亜鉛《あえん》・水銀・プラチナなどが駆使《くし》されていた。ひとつの金属として単離《たんり》されていなかったものも多い。

真空はあるか

真空とは、何もない空間のことです。この考えがはじめに現れたのは古代ギリシャで、原子論を唱えたデモクリトスは、「ものには、ものをつくりあげている小さい粒《つぶ》の部分と、何も存在しない空虚《くうきょ》な部分がある」として、粒と粒のあいだに真空を考えました。一方、アリストテレスは、「石が空中を前進すると、まわりの空気が動かされ、石のうしろに真空ができそうになる。が、空気は切れ目なくつながっているはずだから、その真空をふさぐように石のうしろにまわりこんで、石を押《お》す力になる」として、真空の存在を否定しました。この「自然は真空を嫌《きら》う」という考えは、その後千六百年ものあいだ、西欧《せいおう》の人びとに広く信じられていました。

十七世紀になって、この考えに疑問が投げかけられます。吸引ポンプを使うとき、管の中が真空になるのを嫌って水は絶えまなく上がっていくはずなのに、十メートル以上は吸いあげられないことが知られるようになったこと、そして、トリチェリによる水銀の実験、復活してきた原子論的な考え方により、真空が認められはじめるのです。

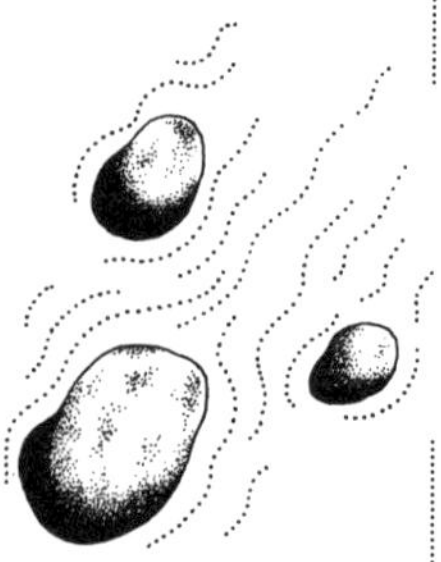

ゲーリケはまず、空気を本格的に吸いだせる真空ポンプをつくりあげました。

ゲーリケが最初につくった真空ポンプは、自転車の空気入れのような形の、手動で空気を吸いだすものでした。しかし、これはピストンを引くのにたいへんな力が必要だったため、改良を重ね、下の絵のような、らくに動かせるポンプをつくりました。

じつは、ちょっと空気を抜《ぬ》くていどから、真空とよんでいいほどに空気を減らせるようになるまでの展開には、さまざまな技術の発展が寄与《きよ》しています。

時代はもどりますが、十六世紀になると、時計の製作のために金属を加工する技術がとても進んできました。同時に、戦争のための

≡金属元素の発見≡ 17世紀末までに知られていた金属元素は12種類。18世紀だけであらたに12種類の金属元素が発見された。現在は86種類。

大砲《たいほう》づくりがさかんになり、金属の精錬《せいれん》方法や形成の方法もどんどん改良されました。その結果、筒《つつ》とのすきまがなく、空気が入りこまないピストンや、堅牢《けんろう》な構造の真空ポンプの製作が可能になってきたのです。このような技術は、のちには蒸気機関を発展させることにつながっていきます。

⊙ 世界をゆるがしたゲーリケの実験

ゲーリケがおこなった実験は、「マグデブルグ市の真空実験」とよばれています。

ドイツ皇帝《こうてい》の前でおこなわれ、大々的に公開されて、人びとの度肝《どぎも》を抜《ぬ》きました。

まず、直径四十センチメートルもある銅製の半球二つ（中空のもの）を合わせ、手動ポン

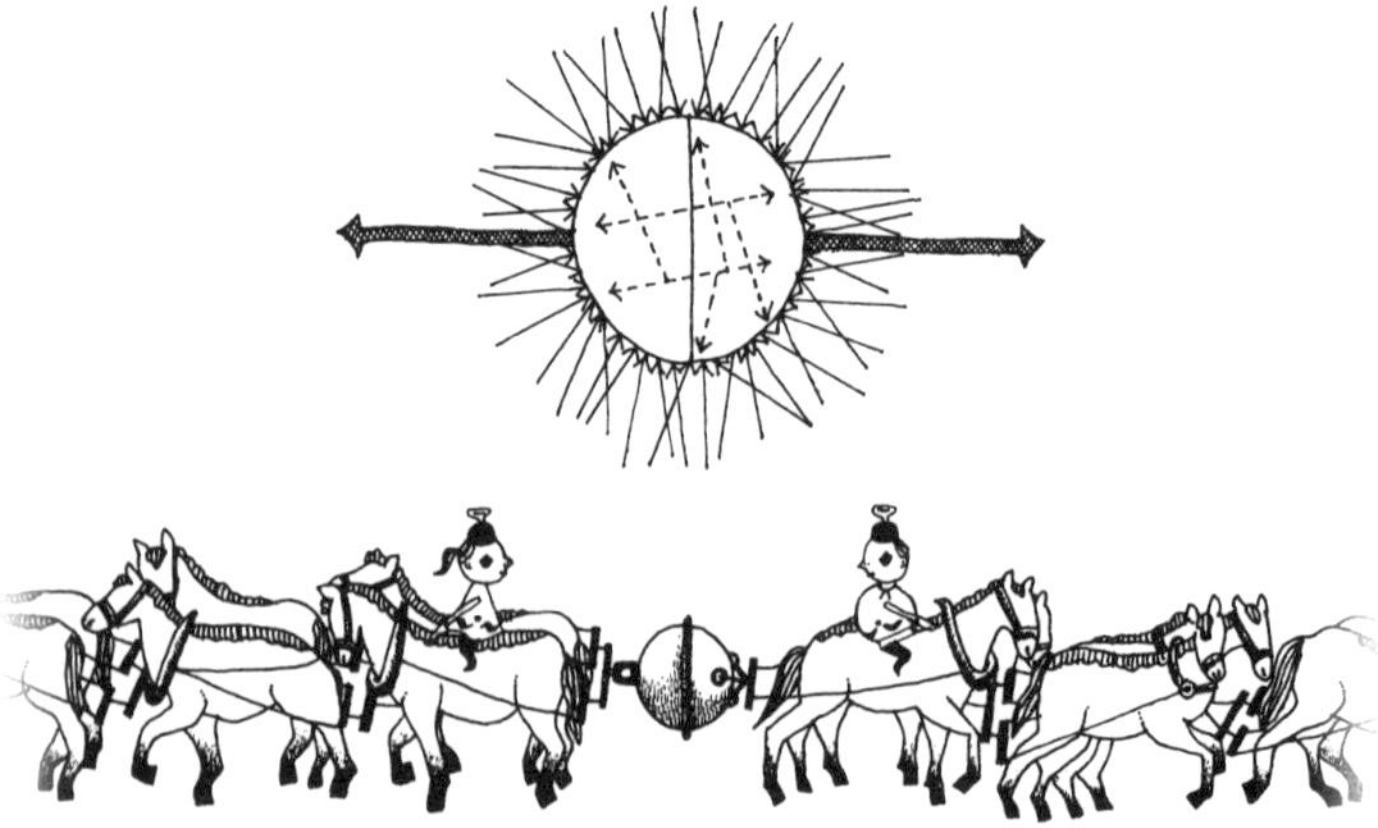

マグデルブルグ市の真空実験

プで空気を抜いて内部を真空にしました。そうすると二つの球はぴったりとくっついて、離《はな》れなくなりました。強力な吸盤《きゅうばん》です。

ゲーリケはくっついた二つの球を、両側から十六頭の馬で引いてみせました。これはざっと考えても、一トン以上の重さの力にあたります。それでも二つの球は離れなかったといいます。

どれだけ真空にできるかが、吸盤の強さの鍵《かぎ》でした。

ゲーリケのように、容器の中の空気を減らす実験をしてみましょう。食品の保存用に売られている、プラスチックの真空容器（一リットルタッパー）を使います。通常のタッパーのふたに空気を抜くための穴がついていて、専

空気が減ると、マシュマロがふくらむ

≡吸盤《きゅうばん》をもつ動物≡ アマガエル、ハゼ、ヤツメウナギ、コバンザメ、ヒル、イソギンチャクなど。水中では空気のかわりに水があり、大気圧のかわりに水圧があるので、吸盤をつけることができる。

用の手動ポンプがセットになっているものです。

タッパーの口からハンドポンプで空気を抜いていきます。何度もピストンを引くと、だんだん空気が抜けていきます（マシュマロを入れておくとだんだんふくれてくるので、空気が減っていることが確認できます）。

さかさにして水につけ、ふたの開放部を押《お》すと、プシュッと勢いよく容器内に水が入りこみます（空気を抜いていなければ、こんなふうには入りません）。内側は空気が減って低圧になっていたので、そこに入口からすかさず水が入りこんだのです。

ゲーリケこぼれ話

オットー・フォン・ゲーリケ（一六〇二―一六八六年）は、ドイツ、マグデブルグの貴族の家に生まれました。大学では、法律に加え、物理学や数学も学びました。そのころ、ドイツでは三十年にもおよぶ戦争が続き、マグデブルグ市も荒《あ》れはててしまいます。市長となったゲーリケは、戦後の復興に力を尽《つ》くしました。

その仕事が一段落したところで、ゲーリケは真空をつくる研究をはじめました。最初は、ポンプを使って木製のビール樽《だる》を真空にしようとしましたが、すきまをうまくふさぐことができず、失敗。つぎに、樽を二重にしてそのあいだに水を入れるというくふうをしましたが、これもうまくいきませんでした。ゲーリケは木の樽をあきらめ、銅の半球を使うことにしました。そうして、有名な「マグデブルグの半球」の実験に至ったわけです。

ゲーリケは、真空の実験だけではなく、硫黄《いおう》でできた球をこすって静電気を起こす機械もつくり、摩擦《まさつ》電気について多くの発見をしました。

⊙開かないふたを開けるには

吸盤《きゅうばん》のように張りついてしまうものに、熱いお吸いものが入ったお椀《わん》のふたがあります。

これをうまくはずすには、器のふちを押《お》さえてちょっとゆがませ、空気を入れます。

お弁当箱でもこういうことが起きます。お弁当箱が開かない。これはなかなかたいへん。すきまに何か差しこんで、空気を入れるしかありません。中身のあら熱をとらないでふたをしてしまったときにこうなります。

こんな現象も、タコの吸盤に似ています。

熱いお吸いものも、開かないお弁当箱も、まわりの空気分子がぶつかって押す圧力に比べて、中の空気分子のほうが少なく、押しあ

いに負けている状態です。そのため、一度すきまから外の空気を入れて、押しあい状態である圧力を等しくしてやらないといけません。そうしないと、ふたもかんたんに開けることができないのです。

驚《おどろ》くべき例をあげてみましょう。

中国で最近、戦国時代（紀元前四〇三年—二二一年）の墓から、副葬品《ふくそうひん》として高さ二十センチメートルの青銅の器、鼎《かなえ》が発見されました。

いまから二千年以上もまえのものだというのに、密着していたふたをはずすと、半分ていどの高さまで濁《にご》った緑色の液体が入っていて、動物の骨も十本ほど浮かんでいたそうです。どうやらスープを煮《に》ていっしょに埋葬《まいそう》し

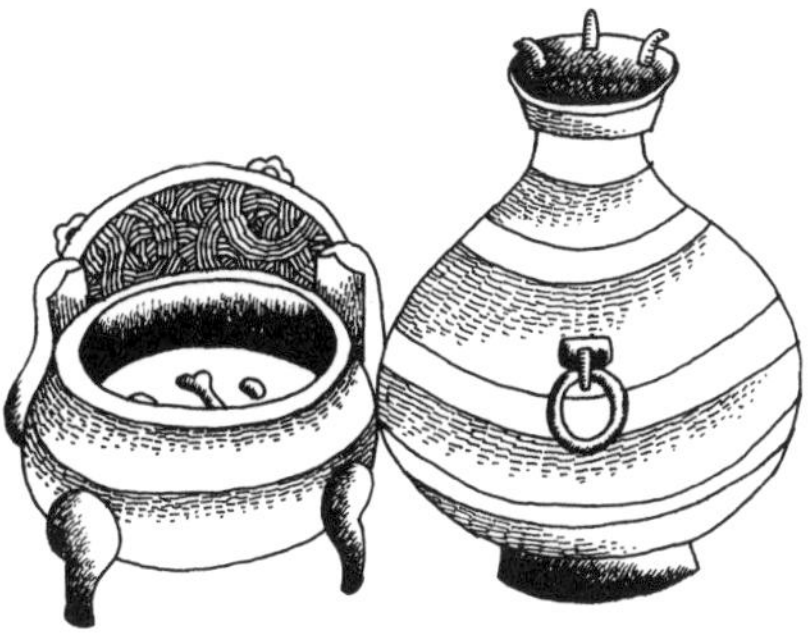

鼎

≡コバンザメのくっつく秘密≡ おなかに並ぶ横縞《よこじま》の隔壁《かくへき》が、吸盤《きゅうばん》の役目をする。これが立ったり倒れたりして、あいだの水圧を変える。大きな魚に触《ふ》れると、隔壁が立ってくっつく。大魚が速く泳いでコバンザメの体がうしろに引かれると、隔壁がさらに傾《かたむ》いて水圧を減らし、離《はな》れにくくなる。

たようです。

おそらく、熱い状態でふたをして埋葬したので、密閉状態のまま保たれていたのでしょう。

⊙なぜ、お椀《わん》のふたがくっつくのか

吸盤《きゅうばん》やゲーリケの半球は、手で押《お》したり吸いだしたりして、中の空気を減らしてくっつけていました。

しかし、お椀《わん》は軽くふたを乗せただけです。なぜ、熱いお吸いもののお椀のふたは冷めるだけでくっついてしまうのでしょうか。

それは、お椀の中の熱いお吸いものに原因があります。

お吸いものの周辺の空気には、水蒸気が混じっています。水蒸気も空気を構成する気体の一つですが、ここではとくに、水蒸気以外のさまざまな種類の気体分子を空気分子とよんでおきます。ところで、液体の水から気体の水蒸気への変化は、水が沸騰《ふっとう》する百度のときだけではありません。それ以下の温度でも起こり、温度が高いほどさかんです。つまり、お椀のまわりの空気には、熱いお吸いものから出た水蒸気がたくさんあることになります。

さあ、そこで、ぱたんっとふたをしてしまいます。水蒸気入りの空気は中に閉じこめられてしまいました。

やがて、お吸いものが熱々ではなくなり、中の温度も下がってきます。すると、空気分子は元気を失い、空気の中の水蒸気は液体の水の姿にもどっていきます。その一部が、お椀のふたに水滴《すいてき》となってつきます。

同じ数の水の分子でも、気体の水蒸気でいるときと、液体の水でいるときとでは、占《し》める体積は大きく違《ちが》います。

水蒸気が水になると、その体積はじつに千七百分の一に減ってしまいます。つまり、水蒸気が占めていたほとんどの場所に、何もいなくなるわけです。

それでなくとも元気を失った少ない数の空気分子が、その広い場所を力なく飛びまわっていることになります。

このとき、お椀の内側は、外に比べてお椀のふたにぶつかる空気分子が少なくて勢いがない状態、ずっと圧力の低い状態なのです。ですから、ふたの外側の空気分子が押す力のほうが大きく、ふたはぴったり張りついてしまいます。

こうして、中の空気を手で押しだしたり、口で吸いだしたりしなくても、お椀のふ

≡液体窒素《ちっそ》のおもしろ実験❶≡ ビニール袋《ぶくろ》に空気を入れて口をしっかり持ち、液体窒素につけると、みるみるしぼむ。そのとき、すみには液体の酸素がたまっている。

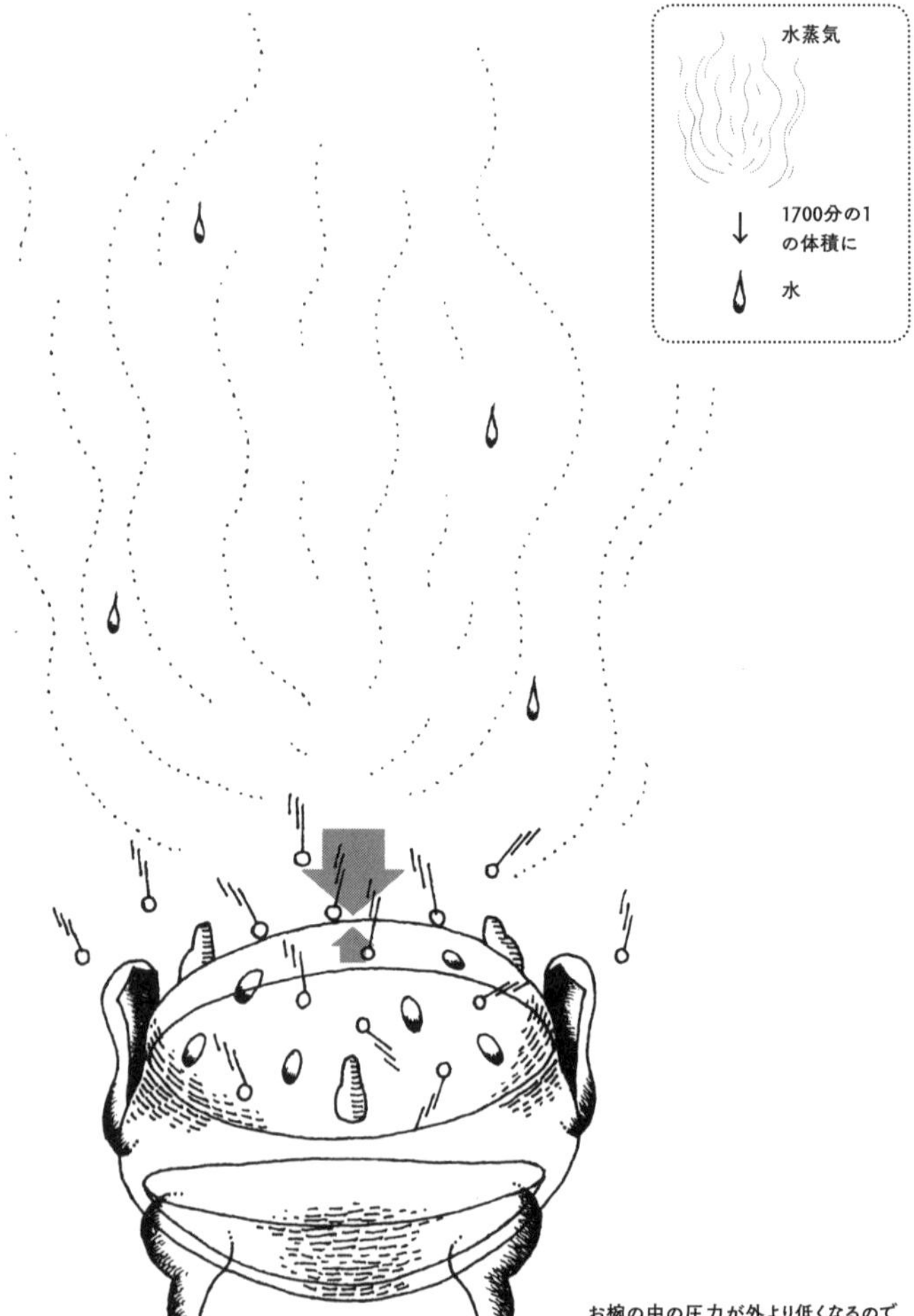

お椀の中の圧力が外より低くなるので
ふたがくっつく

たはしっかり張りつくことになります。

⊙貯蔵のための密封《みっぷう》

さきほどの中国の埋葬品《まいそうひん》の例は偶然《ぐうぜん》の産物だと思われますが、食べものや飲みものを長く貯蔵することは、人びとの生活にとって、とても重要なことでした。塩づけにしたり、干したり、発酵《はっこう》させたりと、貯蔵の歴史はバラエティに富んでいます。そのなかで、入れものに入れて密封《みっぷう》するというやり方もありました。

まず、密封するには容器の質が重要です。陶器《とうき》は古代から貯蔵に使われてきましたが、古代には貴重だったガラスも、中世になるとずいぶん普及《ふきゅう》するようになり、十六世紀のヨーロッパでは、酸に強い器としてガラス容器が知られてきました。

一方、ふたにはコルクが使われました。コルクは、西地中海諸国のブナ科の木の樹皮からつくられます。古代ギリシャやローマでは、おもに漁網《ぎょもう》の浮《う》きや容器のふたに使われました。ふたとしては、ワインをつくって保管する素焼きのつぼの口に利用している絵が残っているほか、古代ローマの沈没船《ちんぼつせん》から、コルクで栓《せん》をしたつぼの実物

≡液体窒素《ちっそ》のおもしろ実験❷≡ 風船をふくらませて丸底フラスコにかぶせ、液体窒素につけると……。しぼむだけでなく、フラスコの内側に入り、逆向きに広がっていく。

が見つかっているほどで、貯蔵で密封するにはなくてはならないものであったと思われます。

ガラスとコルクは比較的《ひかくてき》早くから、二つの組み合わせで、なかば偶然に、熱いまま栓をする、あるいは栓をしてから温めることがおこなわれたと思われます。こうするときわめてよく密封できることは、経験的に知られてきたことでしょう。

今日でも、たとえばジャムの瓶《びん》を密封するときに、この方法を使います。ジャムの密封方法は、つぎのとおり。

一、煮沸《しゃふつ》消毒した瓶にできあがったジャムを入れる。
（やけどしないようにどちらも冷めてから）
二、しっかりふたをする。
三、ふたをした瓶を湯煎《ゆせん》にかけ、三十分ほど煮沸する。

熱いまま栓をすると密封できるのはいいとして、栓をしてから温めるのに、なぜふたが張りつくのでしょうか。冷たいうちにふたをするのですから、もう一度冷えても、中の空気ははじめの状態にもどるだけで、変化はなさそうです。

これを考えるには、水を入れたやかんを火にかけることを想像するのがいちばんいいでしょう。それも、ぴったりふたをしたやかんです。

温度が上がるにつれ、どこからともなく湯気が漏《も》れでてきます。やがて、ふたの小さな空気抜《ぬ》きの穴や、やかんの口からもさかんに湯気が出てきます。さらに温度が上がり沸騰《ふっとう》すると、穴から出るだけでは足りなくなった湯気が、やかんのふたをカタカタと持ちあげて、沸騰を知らせてくれます。

ちなみに、この熱さの証拠《しょうこ》のような白い湯気は、水蒸気ではありません。水蒸気は目に見えません。白い湯気は、水蒸気が外の冷たい空気に触《ふ》れて、こまかい水滴《すいてき》になった姿です。だから、白い湯気そのものに手を近づけるよりも、白い湯気の根もとの何も見えないところに手を近づけるほうが危険です。温度は水蒸気のほうが高いのです。

湯煎方式のジャムの瓶でも、おおむねこれと同じことが起きます。

やかん：すきまから水蒸気が逃げている

≡コルクと細胞《さいぼう》≡ばねの研究で有名なフック（1635―1703年）が、顕微鏡《けんびきょう》観察記録集『ミクログラフィア』に、コルクの細胞図を描写《びょうしゃ》。観察ではコルク1㎠あたり12億個もの小部屋があり、フックはそれを「cell」（細胞）と名づけた。

ジャムの瓶はきっちりふたをすると、すきまはとてもわずかになります。それでも湯煎で熱せられると、ジャムから出た水蒸気や中の空気は、そのわずかなすきまからどんどん外に逃《に》げていきます。そして、逃げきれない分が金属のふたをわずかに持ちあげ、中央部分がほんの少しふくらんだようになります。

湯煎を終えて冷ますと、お吸いもののお椀《わん》のふたと同じことが起こります。

ふたはわずかのすきまもないほど、ぴったりと瓶に張りつきます。口に吸いつけると張りつくコップのように、ガラス瓶の口に、金属のふたが張りついてしまうのです。そして、金属のふたのふくらんでいた中央部分がへこみ、ペコッという音がします。それが合図。こうして、密封が完成します。

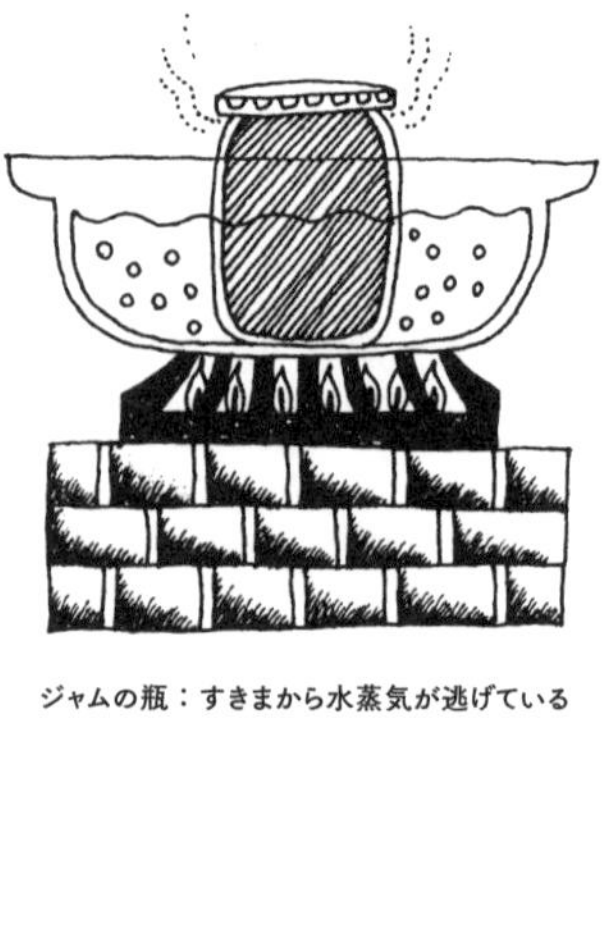

ジャムの瓶：すきまから水蒸気が逃げている

湯煎して密封する保存法の発明者とされているのは、ニコラ・アペール（一七四九―一八四一年）です。フランスの食品加工業者で、一七八九年から一七九四年にはフラン

生物はどこから

古代ギリシャ時代から、生物は物質から自然に発生すると信じられていました。たとえば、偉大《いだい》な哲学者《てつがくしゃ》アリストテレスは「ホタルは朝露《あさつゆ》から生まれる」などと述べました。身のまわりを観察すると、そのように見えるからです。いまでも使われる「蛆《うじ》がわく」「カビがはえる」という表現も、その名残です。

生物の自然発生説は、中世には、生命は神の創造物であるというキリスト教会の教理と結びつける努力がなされ、疑うことができないものとなりました。ルネッサンスになると、錬金術《れんきんじゅつ》とともにいろいろな生物をつくることが試みられ、十七世紀、ブリュッセルのファン・ヘルモントは、汚《よご》れたシャツで小麦の粒《つぶ》が入っている壺《つぼ》の口をふさぐと、三週間で小麦がネズミになると主張しました。自然科学のほかの分野で科学的な見方が進んでくるにしたがい、このようなおとぎ話のような考えはすたれていきました。ところが、顕微鏡《けんびきょう》の発明により微生物の研究がさかんになると、高等生物は自然発生しないが、微生物は自然発生するという考えがわき出てくるのです。

ス革命に参加して投獄《とうごく》されてもいる波乱の人でした。

彼《かれ》が、「細長い瓶や広口の瓶にあらかじめ調理した食品を詰《つ》め、コルクでゆるく栓をし、湯煎鍋《ゆせんなべ》に入れて煮沸加熱し、三十分から六十分後、瓶内の空気をのぞいて、密封する」という保存食品の製造法を考案しました。

アペールの保存法は、ナポレオン率いる新フランス政府の、新しい食品貯蔵法についての懸賞《けんしょう》に当選し、一万二千フランの賞金を得ています。また、一八〇八年、フランス産業振興連盟《さんぎょうしんこうれんめい》にこの方法でつくった三本の瓶詰め牛乳を提出、六年後に開封試飲されて、その手法を認められました。

⊙自然発生説の否定に挑《いど》んだ科学者たち

十七世紀後半、食品の腐敗《ふはい》をもたらす微生物《びせいぶつ》が発見され、その発生をめぐって議論がされていました。微生物は、目には見えないけれども空気中に生息しているのか、空間から自然に発生してくるのか、という議論です。

生きものはこの世の中にどこからともなくわき出してくるものではない、「微生物は自然に発生しない」、現在では当然のこの考えが、当時はまだ証明されていませんでした。

ラザロ・スパランツァーニ（一七二九―一七九九年）は、イタリアの実験生物学者です。彼《かれ》はフラスコに入れたスープを熱して殺菌《さっきん》し、そのままフラスコの口を溶《と》かして密閉しました。そのことで、自然に発生しないことを証明しようとしたのです。一七六五年のことです。

　これについては、密封《みっぷう》して酸素がなくなり、微生物が生きられないので観察できなかったにすぎないとの反論が残っていました。

　この反論を覆《くつがえ》したのが、ルイ・パスツール（一八二二―一八九五年）です。パスツールはまず、空気中の浮遊物《ふゆうぶつ》に微生物がふくまれることを確認しました。つぎに、首が白鳥のように長く曲がったフラスコに、「水と砂糖《さとう》とビール酵母《こうぼ》を混ぜた液」などを入

アペール

スパランツァーニ

パスツール

≡パスツールと革命≡ 共和派の質素な家に生まれたパスツールは1848年、フランスの2月革命に感激し、父親への手紙につぎのように書いている。「2月革命の起こったときにパリにおり、なおまだパリにいることをたいへん幸福に思います。パリでわたしの目撃《もくげき》した事件は、美しく気高い教訓です」。

れ、水蒸気が出るまで加熱したあと放置しました。その液はフラスコの口をとおして外の空気にさらされているにもかかわらず、変質しなかったのです。これは、加熱することでフラスコの中の微生物をふくんだ空気が追いだされ、その後、外の空気が中に入っても、微生物は首の湾曲《わんきょく》部分に付着して液にたどり着けないからだと考えられました。その証拠《しょうこ》に、フラスコの首を削《けず》り落とすとすぐに微生物が現れたのです。

こうして、生物の自然発生説は完全に打ち砕《くだ》かれました。一八六一年のことで、この結論に達するまでには、百年近くにわたるさまざまな研究や技術の発達が必要だったのです。

湯煎瓶詰《ゆせんびんづ》めを考案したアペールの密封技術は、スパランツァーニが取り組んだ自然発生説否定のための技術の落とし子といえるでしょう。

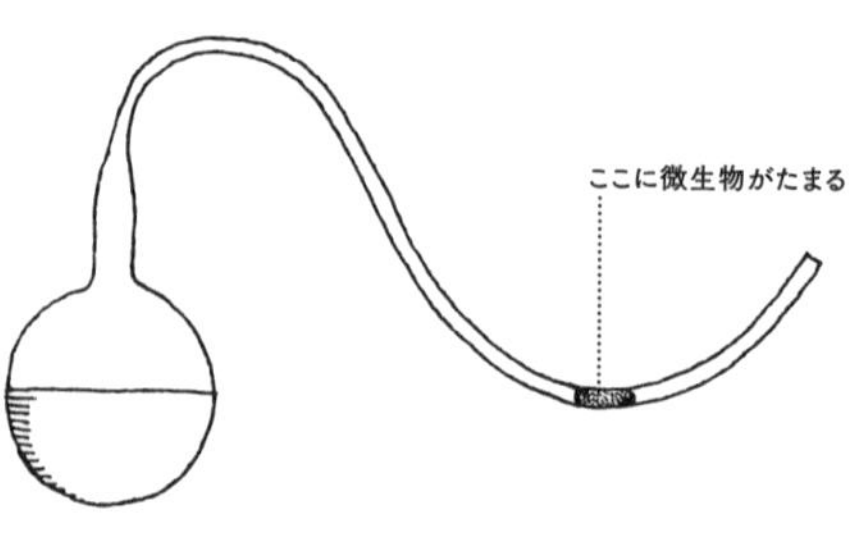

白鳥の首フラスコ

微生物《びせいぶつ》の発見

密封《みっぷう》は、食品の腐敗《ふはい》を進める微生物《びせいぶつ》の侵入《しんにゅう》との戦いでもありました。この小さな生物は、どのように発見されたのでしょうか。

十七世紀、オランダのレーウェンフックは、レンズや顕微鏡《けんびきょう》を四百十九個もつくり、なかには二百倍の倍率のレンズもありました。彼《かれ》は、それらを使って、目に見えない小さな生物がいることを発見しました。雨水や動植物を浸《ひた》した液、排泄物《はいせつぶつ》を大気にさらしておくと、微小な生きた動物が発生すると書いています。さらに多くの微生物を見いだし、ゾウリムシなどの繊毛虫《せんもうちゅう》類《るい》、酵母《こうぼ》、バクテリアなどについて正確な記録を残しました。

この発見に多くの学者が驚《おどろ》き、微生物の研究がさかんになりました。その結果、ものの腐敗や発酵の場ではかならず微生物が見られることがわかりました。レーウェンフック自身は、生物が自然発生するとは考えていませんでしたが、微生物の研究は、すたれかけていた自然発生説を復活させる要因になりました。しかし、その否定によって、食品の保存方法は飛躍的《ひやくてき》に発展しました。また逆に、微生物を利用したさまざまな発酵食品や医薬品の開発につながっていったのです。

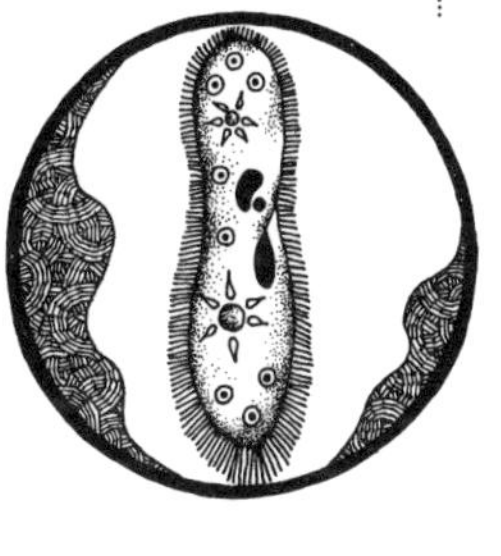

⊙ 宇宙のタコは吸いつけるか

ここまで、隔《へだ》てられたある場所の空気を減らすと、周囲の空気が押《お》しせまってきて、ものとものとを押しつけて吸いつかせる現象が起こることを見てきました。

タコもそうやって吸いついています。吸盤《きゅうばん》の中の空気を減らす技法は、タコの専売特許らしく、イカとはまったく違《ちが》うとか。

調理するさいに吸盤部分をよく洗ってみるとわかるのですが、イカの吸盤からは、ぽろぽろっと透明《とうめい》なリングが落ちてきます。ギザギザの歯がついていて、これを引っかけるようにしがみつくのがイカの吸着です。一方、タコの吸盤からは何も出てきません。円柱の筋肉が収縮して、内部の水や気体を追いだし

イカの吸盤　　　タコの吸盤

て、ガラス窓に張りつける吸盤さながらに、文字どおり吸いつくのです。

では、タコがもしも宇宙空間で生きることができるとしたら、宇宙船の外壁《がいへき》に張りつくことはあるでしょうか。

タコ釣《つ》りを見ていた子どもを泣かせたように、真空の宇宙で、宇宙船に吸いついて離《はな》れないことは可能でしょうか。

答えはノーです。

真空中では、吸盤を押さえつけてくれる空気がありません。それでは張りつくことはできないのです。

はじめから吸盤の内側に空気がない宇宙空間では、吸盤の内側の空気を押しだすこともできず、周囲も真空であれば、空気分子が押さえることもないので、吸盤はくっつきません。空気の中で、まわりと同じ空気が入ったままの吸盤がくっつかないように。天の川のタコ釣りなら、子どもはタコに巻きつかれて泣かされることもないわけですね。

目に見えない空気は、さまざまな気体分子でできていました。わたしたちの周囲を、気体分子は飛びかっています。

≡イカの墨《すみ》とタコの墨≡ イカの墨は、粘液《ねんえき》物質をふくむため、吐《は》きだした墨は散らばらずに不定形のかたまりとなり、敵の目がそちらに向かっているあいだに逃《に》げる。タコの墨は、サラサラとしているので、煙幕《えんまく》のように散らばり、敵の目をくらます。

宇宙人はタコみたい？

ひとむかしまえ、宇宙人といえば、タコのような姿に描《えが》かれたものでした。このような表現はいつ、どこからはじまったのでしょうか。

有名なのは、一八九八年、SFの名作、H・G・ウェルズの『宇宙戦争』の挿絵《さしえ》として描かれた火星人です。ウェルズは本のなかで、火星人についてこんな描写《びょうしゃ》をしています。

・頭脳がひじょうに発達しており、大きな頭部をもっている。
・火星の重力は地球に比べて小さく、また機械にたよった生活をしているので、火星人の胴体《どうたい》や手足は退化して細くなっている。

これをもとに、挿絵画家がタコのような火星人を描いたのでしょう。『宇宙戦争』は、本だけでなく、ラジオドラマや映画にもなったので、このイメージが定着しました。

　では、気体分子と気体分子のあいだの空間は、なんでしょうか。

空間にあるのは空気ですって？　いいえ、空間があることと空気があることは違います。空気は気体分子そのもの。そのあいだの空間は、真空です。

目に見えないほど細かい粒《つぶ》の世界において、原子や分子がある場所以外の空間は真空です。そして、原子一個の中を見たとき、電子と原子核《げんしかく》のあいだの空間もまた真空です。


　宇宙には気体分子のような粒がほとんど存在しないので、広大な空間が真空といわれています。もっとも太陽系あたりでは、なにかしらの粒がまったく存在しないわけではなく、かぎりなく真空に近い空間というのが正確です。


　空気分子がまとまって自在に移動していって、さまざまなものにぶつかるのが、風でした。

閉じこめられても、自在に世界を動いていても、飛びかっている空気分子が何かを押す力が、空気の圧力でした。


　空気分子は、真空と対比したとき、その存在が際立ちます。

わたしたちは、そんな空気に満ちた世界で進化して、空気の圧力の中で生きるのに

≡原子核《げんしかく》と原子の大きさの比較《ひかく》≡ よくたとえられるのが、東京ドームのピッチャーズ・マウンドにとまっているハエ1匹《ぴき》を原子核とすると、そのまわりを電子が飛びまわっている範囲《はんい》、すなわち原子の大きさは、東京ドーム全体くらいになる。そのあいだはもちろん真空である。

適した体になっています。わたしたちの体の中には外側の大気と同じ大きさの圧力があり、つりあっています。

圧力は、受ける側と与《あた》える側の大きさが等しければ、あることを感じません。差ができたとき、はじめて、その存在の大きさや、ありがたさや、危険を感じることになります。わたしたちが海の底や宇宙といった、高圧から真空までの違った圧力の世界に進出していくには、この差を克服《こくふく》しなければならないのです。

さあ、これで空気の話を終えることにしましょう。

どんな時代も、人びとは生活しています。

そして、何かを必要として、くふうして、利用します。

何もない真空。その存在があるからこそ、空気も大きな力を発揮します。

空気という「あるのがあたりまえ」のものも、風として、息として、出入りするものとして、閉じこめるものとして、吸うものとして、吹《ふ》きだすものとして、吹きかけるものとして、ふくらませるものとして、くっつけるものとして、さまざまな場面で、それぞれの形で人はそれを利用しようとしてきたのです。

人類は、その応用力を誇《ほこ》っていいと思います。

付録1 教科書ではいつ習う?

★――高校は、科目の選択により学習内容が異なります。

■風の力、風の名前

小3「風やゴムの働き」では、風を使ったおもちゃで風の力を調べる。

小5「天気の変化」で台風による天気の変化を学習する。

中2「天気の変化」で前線の通過と天気の変化を学び、そのさいに風の吹き方にも触れる。「気象観測」で気温や湿度、気圧とともに、風力や風向を測定する。

高校地学基礎「大気と海洋」で大気の構造や、熱の輸送による気流の循環を学ぶ。

高校地学「地球の大気と海洋」で大気の組成とその変化、**《大気圏》**の各圏**《対流圏、成層圏、中間圏、熱圏》**に起こっているさまざまな現象と大気中の熱の出入りをさらにくわしく、また、「大気の大循環」で、偏西風、貿易風、ハドレー循環を学習する。

■日本の気象の特徴

小5「天気の変化」で台風による天気の変化を学習する。中2「天気の変化」で前線の通過と天気の変化を学び、そのさいに風の吹き方にも触れる。「日本の気象―大気の動きと海洋の影響」で、日本の天気の変化の特徴や偏西風などの地球をとり巻く大気の動きを学ぶ。

高校地学基礎「地球の環境」で日本の自然環境や人間生活とのかかわりを学ぶ。

高校地学「地球の大気と海洋」で日本の気候の偏西風による影響、日本や世界の気候と大気循環のかかわり、気象災害などを学ぶ。

■空気の重さ

小3「物の重さ」で、同じものは形が変わっても重さが同じことや、ものが違うと体積が同じでも重さが違うことなど、物の重さについて多角的に学ぶ。

中1「身近な物理現象―力と圧力」において重さと質量の違い、圧力とは何かの定義、大気圧、水圧について学ぶ。空き缶を大気圧でつぶす実験や、ゴム膜を張った筒を水中に沈めて水圧を視覚的に確かめる実験をおこなう。また、空気に重さがあることを確認し、空気の重さと大気圧を関係づける。

■フックの法則

中1「力と圧力」において、加える力とばねの伸びの関係**《フックの法則：F＝kx（F：**

弾性力の大きさ、k：ばね定数、x：自然長からのばねの伸び)》を学ぶ。

高校物理基礎「様々な力について」で弾性力を扱う。

高校物理「様々な運動―単振動」でばねにつけたおもりの運動を扱い、その振動の周期の関係

《$T=2\pi\sqrt{\frac{m}{k}}$ (T：振動の周期、m：おもりの質量、k：ばね定数)》を学ぶ。

■空気が押し縮められる性質

小4「空気と水の性質」で、空気の圧縮と水の圧縮を実験で比べる。

■酸素と燃焼（ふいご）

小6「燃焼の仕組み」で、植物が燃えると空中の酸素が使われ、二酸化炭素ができることを学ぶ。中2「化学変化―酸化と還元」でいずれも酸素が関係する化学反応**《酸化の例：$2Cu+O_2 \rightarrow 2CuO$（銅粉を空気中で熱すると黒色の酸化銅［II］に)、還元の例：$CuO+H_2 \rightarrow Cu+H_2O$（酸化銅［II］に乾いた水素ガスを送りながら加熱すると、赤色の銅に)》**であることを学ぶ。

高校化学基礎「物質量と化学反応式」で反応式を、「化学反応」で酸化と還元、塩基反応の仕組みを学ぶ。

■比熱

高校物理基礎「物体の運動とエネルギー」で、熱と温度を原子や分子の熱運動から理解、熱の移動と仕事への変換を学ぶ。その過程で比熱、熱容量、熱膨張を扱う。

高校物理「様々な運動」において、温度と分子運動、モル比熱**《定積モル比熱：気体の体積を一定に保ちながら、気体1モルの温度を1Kだけ変化させるのに必要な熱量。$C_v=\frac{3}{2}R$ (R：気体定数)。定圧モル比熱：気体の圧力を一定に保ちながら、気体1モルの温度を1Kだけ変化させるのに必要な熱量。$C_p=\frac{5}{2}R$。定圧モル比熱は気体が外部に仕事をするので、そのぶん定積モル比熱より大きい》**、気体の状態方程式を学ぶ。

■温かい空気の上昇、対流

中3「科学技術と人間」でエネルギー資源の利用や科学技術の発展と人間生活のかかわりを学習するなかで、熱の伝わり方には、伝導や対流、放射があることを具体的な体験をもとに学ぶ。

高校地学基礎「地球の熱収支」で大気中の熱の出入りと、その循環について学ぶ。

高校地学「地球の大気と海洋」で地球規模の風**《貿易風循環、極循環、中緯度循環（偏西風、ジェット気流）》**や対流による現象を、日本や世界の気象とあわせて学ぶ。

■熱と気体の分子運動

水の三態を扱う中1「身の回りの物質」や「状態変化」では、加熱や冷却で粒子の運動のようすが変化することも扱う。

さらに中3「科学技術と人間」でエネルギー資源の利用や科学技術の発展と人間生活のかかわりを学習するなかで、運動エネルギーで熱エネルギーを生みだせること、電気エネルギーなどを利用するとき、不用な熱も発生して一部のエネルギーが無駄になるので、効率を考えなければならないことなどを学ぶ。

高校化学基礎「物質の探究」や高校物理基礎「物体の運動とエネルギー」で熱について分子運動という視点から理解、温度と熱運動の関係、絶対温度について触れ、ブラウン運動の観察などもする。

高校物理「様々な運動」で気体の分子運動と圧力に関してさらにくわしく扱い、熱力学の法則、理想気体の状態方程式などを学習する。

高校化学「物質の状態と平衡」で、沸点や融点を分子間力や化学結合と関連づけて学習。

■大気圧、標高による大気圧の変化、袋がふくらむ

小3「風やゴムの働き」や小4「空気と水の性質」で空気の存在を学ぶ。

中1「身近な物理現象―力と圧力」において、圧力とは何かを定義、大気圧について扱う。空き缶の中の空気を追いだして真空に近づけ、大気圧でつぶす実験で視覚的に確かめる。教科書にゲーリケの実験は登場しないが、つぶれない半球を使って、それが16頭の馬でも引きはがせないことを示した彼の実験と、この空き缶の実験は、同様のことを示そうとしている。中2「日本の気象・大気の動きと海洋の影響」において大気の動きと海洋の影響を学ぶさいに、地球をとり巻く大気の動きや地球の大きさ、大気の厚さがごく薄いことについても学ぶ。

一方で、中2「天気の変化」においては霧や雲の発生に関して、気温の低下で大気中の水蒸気が液体の水になった霧や、大気の上昇に伴う気温の低下**《断熱膨張》**で雲が生ずることなどを学ぶ。そのさいに、密閉された袋が気圧の低下でふくらむことなどをとりあげる。

高校地学基礎「地球の熱収支」で、大気の構造と地球全体の熱収支について学習。

高校地学「地球の大気と海洋」で大気の組成とその変化、各圏に起こっているさまざ

まな現象と大気中の熱の出入りを学習。

高校物理基礎「様々な力とその働き」の一つとして圧力、弾性力などを実験をとおして学び、「熱」で熱容量、比熱、潜熱、熱膨張などを学ぶ。高校物理「様々な運動」で気体の分子運動と圧力、気体の状態方程式についてくわしく学習する。

一方、高校化学「物質の状態と平衡」で、理想気体の体積と圧力や絶対温度との関係を学ぶ。

■水圧

中1「身近な物理現象―力と圧力」において、圧力とは何かを定義、水圧について扱う。ゴム膜を張った筒を水中に沈めて水圧を視覚的に確かめる。

高校物理基礎「様々な力とその働き」の一つとして圧力、浮力など実験を通して学ぶ。

■細胞の観察

中1「植物の体のつくりと働き」をもとに、中2「生物と細胞」で、生物はどれも細胞からできていること、さまざまな形の細胞があり、共通な基本構造があることなどを学ぶ。

高校生物基礎「生物と遺伝子―生物の共通性と多様性」で原核生物や真核生物を観察し、高校生物「生命現象と物質―細胞と分子」で細胞の構造について学ぶ。

■生命自然発生説の否定

小5で「植物の発芽、成長、結実」「動物の誕生」、中1で「花のつくりと働き」、中2で「生物と細胞」「生物の変遷と進化」について学ぶ。

それをもとに、中3「生命の連続性―成長と殖え方」で、生物が増えていくときに親の形質**《メンデルの法則：優性の法則、分離の法則、独立の法則。遺伝子の優性・劣性》**が伝わること、有性生殖と無性生殖の違い、遺伝子について学ぶ。

さらに高校生物基礎「生物と遺伝子―遺伝子とその働き」で生物の基本構造が同じで、DNAを遺伝物質としてもっていること、「生態系とその保全」で生態系における物質やエネルギーの循環について学ぶ。

高校生物「生命現象と物質―遺伝情報の発現」でDNAの複製や遺伝子の発現の仕組みなどを、「生殖と発生」で生命の生殖や発生について、分子レベルで仕組みを学ぶ。

本の中でとりあげた科学者が登場するのは……

スパランツァーニ＝中2、パスツール＝高校生物。こまごめピペットは中3で出てくる。

付録2 おすすめ関連図書

『空気の重さをはかるには』「いたずらはかせのかがくの本」⑧
（板倉聖宣＝著、国土社、1971）
子ども向けの本とあなどってはいけません。空気の重さを量ることを題材に、科学的にものごとを考えることを教えてくれる名著です。

『変化する地球環境——異常気象を理解する』
（木村龍治＝著、放送大学叢書、左右社、2014）
海洋から大気の動きまで、地球環境全体を体系的に網羅した放送大学教材の加筆再構成。気象学、海洋学、気候学の基礎的な入門的解説書。

『風の博物誌』上下巻（ライアル・ワトソン＝著、河出文庫、1996）
題名のとおり、風について、科学・宗教・美術・文学・音楽など多方面からアプローチしながらも、著者の確固たる哲学を感じる本です。

『子どもにウケる科学手品77——簡単にできてインパクトが凄い』
（後藤道夫＝著、講談社ブルーバックス、1998）
『ふしぎ不思議の理科教室——楽しくできる実験と工作』（くらりか＝著、東京書籍、2012）
手のひらでビンをつる、大気圧で割りばしを割る、発泡スチロールカップを使った簡易バージョンのゲーリケの実験など、身近な題材で試す大気圧の手軽な実験がふくまれていて楽しい！

『ひろいそらあおいそら』
（ベラ・B・ウィリアムズ＝作、佐野洋子＝訳、ほるぷ出版、1999）
だじゃれではありませんが風の本を考えていたら、吸盤のタコならぬ空を舞う凧の絵本を思い出しました。まさに空気の力を利用したおもちゃ。やさしい家族に囲まれて凧あげをするエラの日常を描いてあり、風が吹いてきて、その力で凧が飛ばされているようすもあります。

『たこをあげるひとまねこざる』
（マーガレット・レイ＝文、H・A・レイ＝絵、岩波書店、1984）

小ザルのジョージ・シリーズは古典ともいえる絵本。遊んでいる途中、凧が木に絡まっているのを見つけます。無性にその凧をあげたくなって、ついあげてしまうと、風の力でジョージまで飛ばされていってしまう冒険譚です。

「たいようときたかぜ」「さんびきのこぶた」など、昔話で風が大切な脇役である話は少なくありません。ぜひ、この機会にいろいろ思い出してみてください。そのほか、風に関する絵本として、きたかぜの語り口調でつづられる幻想的な絵本**『きたかぜとピオ』**（アラン・バルトマン＝作、谷川俊太郎＝文、福武書店、1989）、枯れ葉がたどる風の吹くわけ**『かぜはどうしてふくの』**（グループETC＝作、ユーリー・シバルチーク＝絵、小峰書店、1976）、風に押されて飛ぶタネの旅**『ちいさいタネ』**（エリック・カール＝作、ゆあさふみえ＝訳、偕成社、1990）、母との対話と独特な鉛筆画の**『かぜはどこへいくの』**（シャーロット・ゾロトウ＝作、ハワード・ノッツ＝絵、偕成社、1981）、色合いが魅力の**『風とひょう』**（葉祥明＝作・絵、愛育社、1998）などもおすすめです。

「夕凪と夕風」「夏の小半日」「備忘録」
（寺田寅彦＝著、『寺田寅彦全集』［岩波書店］所収）
科学者・寺田寅彦の随筆のなかには身のまわりの自然現象が解説とともに書かれていますが、そのなかに風や空気塊の寒暖を話題にとりあげているものもいくつかあります。インターネット上の電子図書館、青空文庫（www.aozora.gr.jp/）でも読めます。

『紅毛雑話・蘭説弁惑』
（森島中良・大槻玄沢＝著、杉本つとむ＝解説、生活の古典双書、八坂書房、1972）
モンゴルフィエ兄妹の気球初飛行の報告が載っている江戸の書物『紅毛雑話』は、オランダ商館長や蘭学者から聞いた話をまとめてあり、顕微鏡やエレキテルの図なども出ており、江戸の学者の好奇心がじかに伝わってくる本です。

『風立ちぬ・美しい村』（堀辰雄＝著、新潮文庫、1951）
「風立ちぬ」は、結核を病む婚約者との死を見すえた時を、自身の体験をもとに描いた代表作。ポール・ヴァレリーの詩『海辺の墓地』の一節“Le vent se lève, il faut tenter de vivre”（風立ちぬ、いざ生きめやも――堀辰雄訳）にちなんだ題。

「風の谷のナウシカ」「魔女の宅急便」「もののけ姫」「風立ちぬ」など、スタジオジブリの映像作品群
図書ではありませんが、アニメの紹介を。いずれの作品でも、「風」は重要な効果になっ

ています。目に見えない空気も、動けば人やものの飛翔を助け、何かを告げる風となります。フィクションなりのデフォルメの中に、科学的な本質が感じられます。


『タコは、なぜ元気なのか――タコの生態と民俗』

（奥谷喬司・神崎宣武＝編著　草思社、1994）

タコの種類、生態や体の仕組みのみならず、タコの食べ方や日本人とタコとのかかわりまで広がる話には、海洋生物学者と民俗学者のコラボのおもしろさがあります。さまざまなタコの写真や浮世絵がカラーで登場。

『たこなんかじゃないよ』「こどものとも傑作集」シリーズ
（秋野和子＝文、秋野亥左牟＝絵、福音館書店、2005）
散歩に出かけたタコがつぎつぎに擬態する絵本。沖縄でタコを捕って暮らす画家の絵と、リズミカルな「たこなんかじゃないよ」のことばのくりかえしに、まるで自分もタコになったように、つい子どもと声を出して読んでしまいます。

『無の本――ゼロ、真空、宇宙の起源』

（ジョン・D・バロウ＝著、小野木明恵＝訳、青土社、2013）

タイトルどおり、ゼロ、真空などあらゆる無を多角的に追究しようという本。思想としての無から、自然科学、数学上の無まで、その探求の歴史や、音楽や文学における表現まで広く紹介しています。

著

結城千代子 ゆうき・ちよこ

東京都生まれ。大学講師。物理教育研究会会員、比較文明学会会員。小学校理科・生活科、中学校理科の教科書執筆者。

田中　幸 たなか・みゆき

岐阜県生まれ。晃華学園中学校高等学校理科教諭。物理教育学会会員。

二人は大学時代からの同志。コンビ名は「Uuw：ウンウンワンダリウム」（自称）。15年にわたり、子どもたちが口にする「ふしぎ」を集め、それに答えていく『ふしぎしんぶん』（ママとサイエンス　http://science-with-mama.com/）を発行する活動を続ける。共著者・共訳者として、科学読物の執筆・翻訳を多く手がける。著書に『天気のなぞ』（絵本塾出版）、『新しい科学の話』（東京書籍）、『くっつくふしぎ』（福音館書店）など、訳書に「家族で楽しむ科学のシリーズ」（東京書籍）など。

絵

西岡千晶 にしおか・ちあき

三重県生まれ。漫画家。実兄との共同ペンネーム「西岡兄妹」の画を担当。コミックに『新装版地獄』（青林工藝舎）、『神の子供』（太田出版）、『カフカ』（ヴィレッジブックス）など、絵本に『そっくりそらに』（長崎出版）など多数。

謝　辞

この本は、平林浩先生との再会をきっかけに生まれました。

わたしたちの子どもたちはともに、平林先生の科学教室を巣立っています。なつかしい平林先生に顧問役で参加していただき、著者が興味津々、内容をおもしろがって書いている本は、読み手をも引きこむことをお教えいただきました。

先生がおもしろいと言ってくださるのを指標に、科学の世界を開く端緒となれる本の形を探り、シリーズ化に至りました。ここに、厚く御礼申し上げます。

ワンダー・ラボラトリ 02

空気は踊る

2014年 8 月 5 日　初版印刷
2014年11月15日　2 刷発行

著者……結城千代子・田中幸
絵……西岡千晶
ブックデザイン……成瀬 慧
発行者……北山理子
発行所……株式会社太郎次郎社エディタス
東京都文京区本郷4-3-4-3F　〒113-0033
電話 03-3815-0605
FAX 03-3815-0698
http://www.tarojiro.co.jp/
電子メール tarojiro@tarojiro.co.jp
印刷・製本……シナノ書籍印刷

定価はカバーに表示してあります
ISBN978-4-8118-0775-1　C0040